Tiyi,
princesse d'Égypte

Données de catalogage avant publication (Canada)

Tadros, Magda

  Tiyi, princesse d'Égypte
  (Collection Atout ; 51. Histoire)
  Pour les jeunes de 11 ans et plus.
  ISBN 2-89428-475-6

1. Tiyi, reine d'Égypte – Romans, nouvelles, etc. pour la jeunesse.
I. Titre. II. Collection : Atout ; 51. III. Collection : Atout. Histoire.

PS8589.A317T59 2001   jC843'.6   C2001-940089-6
PS9589.A317T59 2001
PZ23.T32Ti 2001

Les Éditions Hurtubise HMH bénéficient du soutien financier des
institutions suivantes pour leurs activités d'édition :

— Conseil des Arts du Canada ;
— Gouvernement du Canada par l'entremise du Programme
  d'aide au développement de l'industrie de l'édition (PADIÉ) ;
— Société de développement des entreprises culturelles au
  Québec (SODEC).

Conception graphique : **Nicole Morisset**
Illustration de la couverture : **Normand Cousineau**
Mise en page : **Lucie Coulombe**

© Copyright 2001, 2002
Éditions Hurtubise HMH ltée
Téléphone : (514) 523-1523 • Télécopieur : (514) 523-9969
www.hurtubisehmh.com

Distribution en France
Librairie du Québec/DEQ
Téléphone : 01 43 54 49 02 • Télécopieur : 01 43 54 39 15
Courriel : liquebec@noos.fr

Dépôt légal/1er trimestre 2001
Bibliothèque nationale du Canada
Bibliothèque nationale du Québec

Imprimé au Canada

Magda Tadros

Tiyi,
princesse d'Égypte

Collection **ATOUT**

Magda Tadros est née au Caire, la capitale de l'Égypte, et vit au Canada depuis 35 ans. Elle a toujours eu le désir de raconter son enfance et son adolescence vécues aux pieds des Pyramides de Guizeh.

Magda s'est impliquée en politique, notamment au Cabinet du ministre du Patrimoine canadien. Elle a aussi travaillé dans le milieu de l'édition, ce qui l'a amenée à l'écriture.

Tiyi, princesse d'Égypte est son premier roman.

Remerciements

À Michèle Tisseyre (fille) dont les encouragements ont animé mon inspiration ;

À Angèle Delaunois dont les conseils m'ont été indispensables ;

À mon frère Manuel, duquel je n'aurais su ni ne devrais jamais me passer ;

À Dominique Thuillot, qui a tout de suite fait confiance à mon premier roman.

À Liliane Blanc, pour m'avoir lue et encouragée.

À Biblionef International
avec qui je partage la joie de faire découvrir
aux enfants du monde le plaisir de lire.

Personnages du roman

Aÿ : (1327-1323) Pharaon d'Égypte

Tey : épouse royale, reine d'Égypte

Horemheb – *dont le nom signifie « Horus est en fête »* : (1323-1295) général et chef de l'armée d'Égypte

Moutnedjémet – *dont le nom signifie « Mout (mère) et nedjémet (la douce) »* : princesse d'Égypte, fille de Aÿ et de Tey et épouse de Horemheb

Tiyi : jeune princesse, fille de Horemheb et de Moutnedjémet

Néfrou : jeune prince, fils de Horemheb et de Moutnedjémet

Ramsès : jeune capitaine de la garde de Horemheb

Séti : intendant de la demeure de Horemheb

Mesia : scribe de Horemheb

Nefer : servante de Tiyi

Hati : serviteur de Néfrou

Sethamount : neveu du Pharaon et ami de Horemheb

Akhnamon : ami de Horemheb

Rana : fille du peuple, amie de Néfrou

Kafer : militaire

Senmout : ami de Sethamount

Prologue

Nous sommes en l'an 1323 av. J.-C. L'Égypte traverse une époque tourmentée. Le règne du pharaon Akhenaton et de son épouse Néfertiti a pris fin il y a quelques années, laissant le pays dans une situation désastreuse. Akhenaton a voué sa vie au culte du dieu unique, Aton, négligeant de façon inconsidérée les affaires intérieures et extérieures de son pays.

À sa mort, les puissants prêtres du temple de Karnak placent sur le trône le très jeune Toutankhamon, époux de la troisième fille d'Akhenaton — sous la régence du Grand Prêtre Aÿ. Neuf ans plus tard, Toutankhamon meurt dans un accident de chasse, à l'âge de dix-huit ans, sans laisser d'héritier.

Aÿ est alors couronné Pharaon d'Égypte. Il régnera quatre années. Avec l'épouse royale Tey, ils sont les parents de Moutnedjémet, épouse de Horemheb, général et chef de l'armée d'Égypte.

C'est ici que commence notre histoire.

1

LA DEMEURE DE HOREMHEB

Lorsque Râ[1], le dieu du Soleil, décida de se lever ce matin-là, il le fit dans toute sa splendeur rayonnante. Tiyi ouvrit ses grands yeux pervenche frangés de longs cils et sourit au jour qui se levait. Elle se réjouissait déjà de la journée qui l'attendait. Quelques bruits lui révélèrent que la maisonnée s'éveillait à son tour.

Nefer, sa fidèle servante, entra dans sa chambre avec le repas du matin. Une odeur appétissante envahit la pièce ; sur une plaque de granit s'étalaient deux ailes de pigeons rôties, une coupe de lait de chèvre, du pain de froment et une tranche d'alvéoles de miel d'abeilles. Tiyi s'assit au bord de son lit et croqua dans une aile de pigeon. Bien se nourrir était la devise de la maison. Toute jeune, elle avait appris à manger copieusement le matin, et arrivée à l'âge de la puberté, elle n'avait pas perdu ses habitudes.

Après son repas, elle se livra aux mains de Nefer pour les rites matinaux. La servante lui massa le dos à l'huile de jasmin. Avec une mixture faite de feuilles de henné séchées, mélangées à de l'eau, elle lui badigeonna la plante des pieds et la paume des mains. Aussitôt, elles prirent une teinte orangée, comme le voulait la coutume. Ensuite Nefer lui posa sur la tête une perruque de cheveux noirs ornée d'un serre-tête en or et l'aida à enfiler une robe de lin blanc qu'elle serra à sa taille avec une large ceinture de cuir.

Tiyi prit place devant une petite table encombrée de pots et de flacons de toutes couleurs contenant des onguents et des parfums. Nefer maquilla ses paupières de poudre bleue et dessina ses yeux au khôl[2]. Les longs traits noirs donnèrent instantanément de la profondeur à son regard. Elle lui frotta les lèvres de carmin et saupoudra de paillettes d'or son épaule découverte. Enfin, Tiyi glissa ses pieds fins dans ses sandales dorées.

Ainsi vêtue, elle était prête à sortir de sa chambre. Elle suça un morceau de cannelle pour rafraîchir son haleine et alla saluer sa mère.

Moutnedjémet accueillit sa fille avec un large sourire.

— Tu es bien belle ce matin, Tiyi, où vas-tu ainsi parée ? lui demanda-t-elle.

— Tu as oublié, mère bien-aimée, que j'emmène Néfrou au marché quand Râ aura traversé le milieu du ciel…

— J'espère que Nefer ira avec vous ! dit-elle d'un ton entendu.

— Oui, mère, tu sais bien que je ne m'aventurerais pas toute seule avec Néfrou. Nous ne serons pas assez de deux pour le surveiller tant il est turbulent, répondit-elle en riant.

Moutnedjémet sourit malicieusement à sa fille :

— Bien ! Je compte sur toi pour t'occuper de ton jeune frère et l'empêcher de faire des bêtises !

Moutnedjémet, « Mère-la-douce », portait bien son nom : elle avait toujours le sourire aux lèvres et sa voix était d'une grande douceur. Lorsqu'elle regardait sa fille, ses grands yeux bleu-vert s'emplissaient d'une lueur de fierté. Malgré son jeune âge, Tiyi promettait d'être très belle. Elle avait hérité des yeux de sa mère. Son nez était fin, droit et racé. Elle avait la peau mate et cuivrée, et son long cou gracile lui donnait une allure altière. Sa bouche aux lèvres charnues laissait entrevoir des dents blanches parfaitement alignées. Elle était d'un caractère joyeux et personne ne résistait à son charme. Même sa propre mère, Moutnedjémet, dont on vantait la grande beauté, la regardait avec admiration.

Quand Moutnedjémet accompagnait son époux, le seigneur Horemheb, au cœur de la cité, les gens s'inclinaient à leur passage avec déférence. Horemheb aimait tendrement sa belle épouse. Avec Tiyi et Néfrou, ils formaient une famille heureuse, unie et enviée de tous.

Dans la demeure de Horemheb, tout était calme et paisible. La belle Moutnedjémet tenait sa maisonnée d'une main ferme. Tous les matins, Séti, l'intendant de la maison, s'asseyait en tailleur devant sa maîtresse et prenait ses ordres pour la journée. Après s'être prosterné respectueusement, il s'en allait accomplir ses tâches avec efficacité et dévouement.

À l'intérieur des murs de la demeure, tout était fait pour offrir à ses habitants et aux serviteurs une vie confortable et sereine. Pourtant, depuis quelques jours, Horemheb avait l'air soucieux. Moutnedjémet, en épouse respectueuse, ne posait pas de questions, mais elle gardait sur son époux un regard inquiet en se demandant ce qui pouvait bien le tourmenter.

Ce matin-là toutefois, la beauté et la fraîcheur de Tiyi avaient pour un instant dissipé les inquiétudes de Moutnedjémet. Elle embrassa sa fille tendrement et lui souhaita une bonne journée :

— Que la terre soit ferme sous tes pieds, lui lança-t-elle gaiement.

Lorsque Tiyi quitta la chambre de sa mère, elle vit Séti qui attendait patiemment son tour comme tous les matins.

— Je te salue, dame Tiyi, j'espère que tu as bien dormi. Que Râ t'accompagne dans ta journée.

Tiyi salua Séti à son tour et alla choisir un papyrus[3] dans la bibliothèque de son père. Puis, elle se dirigea d'un pas décidé vers le jardin.

La fraîcheur matinale effleura ses épaules. Dans ce pays de désert où la chaleur est souveraine, les grandes demeures possédaient un jardin. Ces petites oasis privées revêtaient une grande importance et leur aménagement rivalisait en beauté de maison en maison. Entouré d'immenses murs de brique de terre crue, le jardin de la demeure de Horemheb était entretenu par une flopée de jardiniers. Il comptait parmi les plus beaux de la cité de Thèbes.

Tiyi contempla d'un œil ravi une rangée de roses et de bougainvillées qui bordait le chemin qu'elle suivait. Il serpentait jusqu'à l'étang entouré de papyrus et de roseaux entremêlés. À la surface de l'eau frémissaient des lotus bleus en fleur. Elle s'installa confortablement à l'ombre d'un banian, appuyant son dos sur les racines verticales de l'arbre, qui s'élevaient comme des lianes vers les branches.

La rosée du matin trempa ses pieds et une odeur délicieuse de jasmin fit palpiter ses narines. Elle ressentit un profond bien-être, respira longuement et se mit à lire. Elle se laissait parfois distraire par le clapotis que faisaient les poissons de couleur qui s'agitaient dans l'étang et par les grenouilles qui coassaient en sautillant d'un nénuphar à l'autre.

Soudain, Tiyi se sentit observée. Elle se retourna vivement et chercha alentour.

— Qui est-là ? demanda-t-elle.

Elle aperçut une ombre fugace qui s'enfuyait derrière les hauts sycomores.

— Néfrou, c'est toi ? insista-t-elle en se levant. Mais seul le silence lui répondit. Intriguée, elle revint s'asseoir sous son arbre. Elle attendit quelques instants, regarda à nouveau en arrière, mais ne vit rien. Troublée, elle tenta de reprendre sa lecture. À cet instant, Nefer vint l'avertir que le repas de la mi-journée était prêt.

Soudain, Néfrou apparut en tenant dans une main un bilboquet avec lequel il jouait tout en se rapprochant. Quand il aperçut sa sœur, il bouscula Nefer et s'élança vers elle comme un tourbillon. Il voulut lui sauter au cou, mais elle s'exclama en riant :

— Néfrou, petit frère turbulent, veux-tu arrêter. Tu déranges ma parure.

— Tu es toujours belle, Tiyi, avec ou sans parure. Tu es ma sœur bien-aimée, la plus magique de toutes les sœurs du pays.

Tiyi le regarda tendrement et éclata de rire. Puis, main dans la main, lui gambadant et elle essayant de le calmer, ils se dirigèrent vers la demeure où les attendait le repas de midi. Avant de franchir la porte, Tiyi jeta un dernier regard vers le jardin.

2

LE MARCHÉ

Néfrou avait déjà huit ans ; il était beau : lui aussi avait hérité des yeux de sa mère. Le bleu-vert de ses prunelles contrastait avec la couleur cuivrée de sa peau. Son crâne était rasé à l'exception d'une touffe de cheveux tressés qui tombait sur le côté droit de son visage. Son corps fluet était toujours en mouvement. Après la sieste, il entra dans la chambre de sa sœur pour la réveiller.

Quatre serviteurs les attendaient pour les transporter en litière[4] jusqu'au marché. Ils s'y installèrent confortablement et se laissèrent porter jusqu'au cœur de la cité. Ils traversèrent le quartier réservé aux nobles et atteignirent celui des marchands, qui précédait la grande place du marché. Tiyi prit son jeune frère par la main en descendant de la litière.

Nefer les accompagna. Ils déambulèrent vers le marché aux mille couleurs, où dans l'air chaud flottait une odeur d'épices et d'encens. Une rumeur de rires et de chants les assaillit.

Ils furent entraînés par une foule joyeuse et se retrouvèrent dans un attroupement. Au centre, des musiciens faisaient leur numéro ; harpes, hautbois et luths rythmaient les pas d'une danseuse aux pieds nus. Les curieux la suivaient des yeux avec admiration. Son corps souple, moucheté de paillettes d'argent qui scintillaient au soleil, ondulait aux accents mélodieux de la musique. On avait recouvert le sol d'un tapis aux couleurs chatoyantes sur lequel elle tapait des pieds. Ses chevilles étaient entourées de bracelets avec des grelots qui tintaient harmonieusement. Elle battait son tambourin de ses doigts effilés.

Tiyi et Néfrou étaient subjugués ; Nefer se tenait tout près, fascinée elle aussi par tant de grâce. Enfin, épuisés et trempés de sueur, les musiciens et la danseuse remercièrent les badauds, puis la foule se dispersa, jetant quelques piécettes d'argent sur le tapis.

Néfrou s'écarta soudain du groupe et s'élança vers le marché. Tiyi courut derrière lui, le rattrapa aussi vite qu'elle le put et, suivie de Nefer, ils s'engagèrent dans les allées bordées d'étals. Des auvents de toile blanche étaient tendus au-dessus des charrettes pour protéger les marchandises du soleil. Fruits, légumes, épices, fleurs et parfums se côtoyaient allègrement. Des marchands les haranguèrent aussitôt, leur proposant des produits savoureux et odoriférants.

Malgré la proximité du lac, pas la moindre brise ne se faisait sentir. La chaleur était suffocante. Sans prévenir, assoiffé, Néfrou se précipita vers un étal de fruits que survolaient, dans un vrombissement ininterrompu, des mouches en quête de ripaille. Des dattes charnues, des melons et des pastèques fraîchement tranchés offraient leurs ventres verts ou rouges. Des figues dodues invitaient à la gourmandise.

— Tiyi, petite sœur bien-aimée, je veux une figue de Barbarie, lança Néfrou effrontément.

Tiyi donna une piécette au marchand en échange de la figue aux piquants.

Celui-ci, avec son couteau, incisa le fruit trois fois dans sa longueur, arracha la peau d'un coup sec et présenta à l'enfant émerveillé le fruit juteux. Néfrou y mordit à belles dents en fermant les yeux avec délectation.

Jongleurs et amuseurs firent le régal des jeunes au cours de cette heureuse randonnée. Enfin, lorsque Râ commença à descendre lentement à l'horizon, Nefer sonna l'heure du départ.

— Nous devons retourner à la maison, dit-elle sentencieusement. Le seigneur Horemheb m'a bien recommandé de revenir avant que Râ ne disparaisse pour la nuit.

Mais Tiyi ne l'entendait pas ainsi. À l'âge où la coquetterie s'éveillait, elle ne pouvait s'empêcher de s'arrêter devant tous les éventaires. Une vendeuse de bijoux et de parfums la reçut avec un sourire enjôleur et lui demanda :

— Veux-tu essayer ce nouveau parfum à la fleur de lotus ?

En posant la question, elle aspergea avec vivacité le cou et la nuque de Tiyi, qui ne résista pas à l'envie de s'en procurer une mesure. Sa petite fiole à la main, elle continua à admirer les bijoux sans se préoccuper de l'avertissement de Nefer.

— Regarde, insista la vendeuse, ces bracelets en or et en argent. Il y en a de toutes les formes… serpent, aigle, faucon… et là, regarde ces boucles d'oreilles et ces bagues serties de pierres précieuses… celle-là t'irait parfaitement. Et ce pectoral en or pour orner ta poitrine, vois comme il est beau. As-tu l'âge d'en porter ?

— Non ! Pas encore… Mais bientôt, le jour de mon initiation, ma mère devrait m'en offrir un…

Un scarabée en turquoise attira l'attention de Tiyi. C'est à cet instant que Nefer choisit de revenir à la charge :

— Douce Tiyi, c'est le moment de rentrer. Nous devons prendre l'embarcation rapidement afin d'arriver à temps pour le repas du soir. Tu sais bien que Moutnedjémet pourrait se fâcher si nous étions en retard !

Tiyi poussa un profond soupir et chercha son frère des yeux. Il caressait le crâne d'un ânon qui broutait du foin.

— Néfrou, appela-t-elle, viens, il faut rentrer à la maison !

L'ânon se mit à braire lorsque Néfrou le quitta pour rejoindre sa sœur. Tiyi le prit par la main alors qu'il recommençait à s'agiter et ils se dirigèrent à regret vers l'embarcadère. Les palmes des dattiers qui bordaient le lac se balançaient mollement. Tiyi se pencha vers son frère et lui dit :

— Ce soir, nous mangeons du canard cuit sur du charbon de bois, enrobé dans des feuilles de palmiers...

— Avec de la bonne bière fraîche pour nous désaltérer, ajouta-t-il avec bonheur.

Aux abords du quai, parmi les multiples esquifs, la barque aux insignes de Horemheb attendait les jeunes passagers. Ils se hâtèrent de monter à bord. Cependant que l'embarcation s'éloignait du rivage, maniée par d'habiles rameurs, Tiyi se pencha par-delà le bastingage et offrit son visage au vent frais du crépuscule.

C'est alors qu'elle se sentit à nouveau observée. Elle ouvrit les yeux et scruta les alentours. Sur la berge, des canards et des hérons se disputaient quelques miettes de pain. Derrière un bosquet d'arbustes, une silhouette se profila. Tiyi croisa un regard sombre. Mais la distance l'empêcha de voir avec précision. Alors une inquiétude s'insinua en elle et son cœur s'emballa. Qui cela pouvait-il être ?

Néfrou s'assit sur ses genoux et lui dit avec une petite excitation dans la voix :

— Bientôt, c'est la Fête du Nil. Tu seras présentée au temple pour ton initiation.

— Oui, Néfrou, j'ai hâte que cette journée arrive enfin ! dit-elle en tentant de chasser de son esprit cette apparition éphémère.

— Il ne reste plus bien longtemps à attendre, répliqua-t-il en s'agitant avec impatience.

Oubliant pour un instant son malaise, Tiyi se laissa envahir par un sentiment d'allégresse et serra son frère contre elle. Nefer les observait en souriant, se réjouissant elle aussi de la joie de sa jeune maîtresse.

La présentation au temple était une cérémonie d'initiation à la vie. Lorsque les jeunes filles et les jeunes garçons atteignaient l'âge de la puberté, ils se présentaient au temple pour être initiés par les prêtres d'Amon. Ils prêtaient serment de fidélité aux dieux et récitaient les prières destinées à les guider tout au long de leur vie. Les prêtres les oignaient avec les huiles sacrées et sanctifiées. Cette cérémonie revêtait une grande importance pour ces jeunes gens, car elle les préparait à affronter la vie adulte. Tiyi avait atteint une maturité qui lui permettait de vivre cette nouvelle étape de son existence avec bonheur et sérénité.

Alors que Râ n'était plus qu'une boule de feu incandescente prête à disparaître à l'horizon et que la surface du lac devenait un miroir rougeoyant, l'embarcation se rapprocha de la demeure du général Horemheb.

À la maison, le repas du soir attendait l'arrivée des retardataires. Moutnedjémet les toisa du haut de l'escalier d'un air réprobateur :

— Enfin, vous voilà ! dit-elle. Je commençais à m'inquiéter, pourquoi avez-vous tant tardé ?

Mais, rassurée par leur présence, elle n'entendit pas leur réponse. Se tournant vers Séti, elle lui ordonna de servir. Tout le monde s'installa joyeusement. Horemheb demanda à Mesia, son scribe, de les rejoindre et de prendre des notes, car il avait des choses importantes à dire. Alors que Néfrou racontait avec volubilité leur promenade au marché, Moutnedjémet et Horemheb l'écoutaient avec attention en souriant.

C'est alors que Horemheb dit avec un certain calme :

— Je suis heureux que vous ayez pu profiter de cette promenade, car je vais être obligé de vous interdire de sortir du domaine dans les prochains jours. Le règne de notre Pharaon, Aÿ, est contesté. Des troubles pourraient éclater dans la cité. Aussi, pour que votre mère ne s'inquiète pas trop de vos absences, il vaudrait mieux que vous restiez ici.

Moutnedjémet se pencha vers son époux :

— Est-ce vraiment si grave que cela ? demanda-t-elle.

— Si Horus[5], notre Pharaon, décide d'abdiquer rapidement, tout se calmera bien vite. En revanche, s'il décide de résister, il risquerait d'y avoir des problèmes…

— Mais Pharaon ne peut abdiquer, s'exclama Moutnedjémet, outrée. Cela ne s'est jamais produit de toute l'histoire de l'Égypte, tu le sais bien ! De tout temps, le règne de Pharaon s'est terminé avec sa mort, et il en sera toujours ainsi.

— Mais alors, interrompit Tiyi, que se passera-t-il avec ma présentation au temple ? Elle n'aura pas lieu ?

— Mais non, mais non, ne t'inquiète pas ainsi, ma fille bien-aimée, répondit Horemheb avec sollicitude. Je pense bien que tout sera réglé d'ici là.

Puis, se tournant vers son épouse, il continua :

— Ne t'inquiète pas non plus ! Je saurai bien venir à bout de cette rébellion avec mon armée. Bon ! Mangeons maintenant…

Le repas se terminait. Les esclaves allumèrent les lampes à huile qui se mirent à crépiter avec un bruit familier. Ils firent brûler de l'encens et des rondelles de volutes blanches s'élevèrent dans les airs. L'odeur douceâtre de la résine se répandit à travers la pièce. Alors les serviteurs déposèrent sur la table un bol d'eau chaude aromatisée au citron. Chacun y plongea ses doigts pour les rincer et se sécha avec des serviettes de lin. Moutnedjémet prit la main de Néfrou et le conduisit à sa chambre. Suivi de son scribe, Horemheb se dirigea vers son bureau où ils s'enfermèrent pour travailler. Nefer avait déjà préparé la bassine d'eau pour la toilette de sa maîtresse ; Tiyi s'y plongea avec délice. Par la fenêtre ouverte, elle aperçut le nouveau croissant de lune au milieu d'une multitude d'étoiles scintillantes. Enfin rafraîchie, elle sortit de son bain et s'enroula dans ses draps avec un plaisir évident. Avant de s'endormir, elle eut une pensée bienheureuse pour la journée de son initiation qui arrivait à grands pas. Puis, dans la douceur de la nuit, elle sombra dans un sommeil bienfaisant.

3

HOREMHEB

Depuis quelques années déjà, le seigneur Horemheb était général et chef de l'armée d'Égypte. Il y avait commencé sa carrière, et c'est au cours du règne de Toutankhamon qu'il avait été nommé à la tête de l'armée. Le bracelet de sa nomination était venu s'ajouter aux autres bracelets que Horemheb exhibait à ses bras, chacun d'eux représentant un titre. Malgré leur nombre imposant, Horemheb restait humble et aucune cupidité ne l'habitait. Lorsque Toutankhamon mourut, Horemheb se soumit sans arrière-pensée au nouveau Pharaon, Aÿ. Ce dernier lui fut reconnaissant de sa fidélité et le maintint dans sa fonction.

Horemheb était grand et fort. Tous les matins, lorsque Râ ressuscitait, il faisait son entraînement militaire. Son corps musclé et solide répondait de façon précise aux attaques simulées des autres combattants. Une fois ses exercices matinaux terminés, il plongeait dans l'eau rafraîchissante du lac. Après quelques brasses vigoureuses, il allait à la caserne où l'attendaient ses serviteurs qui s'inclinaient devant lui avec respect. Il se faisait alors masser et enduire avec des huiles tièdes odoriférantes, maquiller les yeux au khôl et teindre les lèvres au henné.

Habillé et paré de ses bracelets, Horemheb inspectait alors sa garde personnelle d'un œil sévère. Il s'occupait des affaires de son armée avec autorité et savoir-faire : on l'aimait et on le respectait, car ses décisions étaient justes.

Lorsque Râ était haut dans le ciel et que les ombres se rétrécissaient, Horemheb retournait chez lui pour le repas de la mi-journée. À cette heure du jour où la chaleur était torride, il préférait prendre la route du fleuve. Avec quelques amis, ils s'installaient dans la cabine de son embarcation. Puis, ils voguaient au gré de la brise qui venait du large et leur faisait oublier pour quelques instants la lourde canicule. Les serviteurs s'affairaient et leur servaient des rafraîchissements. Horemheb avait l'habitude de mâchouiller un clou de girofle pour blanchir ses dents, ce qu'il faisait négligemment pendant ses moments de détente.

Le repas de la mi-journée était un rituel auquel Horemheb tenait particulièrement. Avec son entourage, il discutait et arguait des affaires du pays avec force détails, mais toujours avec civilité. Ce jour-là, pourtant, la discussion devint orageuse :

— Il faudra bien que tu te résignes, lui dit Sethamount, son ami le plus proche. Les prêtres d'Amon se font de plus en plus pressants. Ils poussent le peuple à se révolter. Tu sais bien l'influence qu'ils ont sur la population et combien celle-ci est dominée par la superstition. Il suffit qu'on lui dise que le règne de Pharaon porte malheur à l'Égypte, pour qu'elle réagisse exagérément.

— Justement, répliqua Horemheb, c'est à nous de maintenir l'ordre, de contrecarrer les intentions des prêtres et de protéger Pharaon.

— Mais enfin, Horemheb, s'écria Akhnamon, un autre de ses collaborateurs, tu vois bien que Horus, Grand Pharaon d'Égypte, ne réagit pas. Les Hittites sont aux portes du pays, bientôt à Memphis et ensuite à Thèbes. Nous serons envahis le temps de le dire. Et toi, général de l'armée, tu laisserais faire ça ?...

— Il ne faut rien exagérer, répondit Horemheb avec un calme apparent. Les Hittites ne nous envahiront pas de si tôt. Ils sont parfaitement conscients de la puissance de notre armée et Pharaon a pleinement le temps d'arriver au bout de son règne et de livrer son âme aux dieux avant que n'advienne cette éventualité.

Malgré l'insistance de ses collègues, Horemheb resta sur ses positions. Ils se séparèrent sans grand enthousiasme pour l'heure de la sieste.

Étendu sur sa couche, dans l'étouffante chaleur, Horemheb se laissait bercer par le bruissement des éventails de plumes que ses serviteurs agitaient lentement sur lui. Les objections de ses collaborateurs l'empêchaient de prendre du repos. Il se tournait et se retournait dans son lit sans pouvoir trouver le sommeil. Il était vrai que Pharaon ne se décidait pas à envoyer ses soldats à la guerre. Le sang de Horemheb ne fit qu'un tour dans ses veines. Il se dressa tout en sueur sur sa couche. Ses collègues avaient raison. Si Pharaon ne prenait pas rapidement une décision, l'Égypte serait bientôt envahie. Il serra les mâchoires.

Pourtant, tant que Horus serait assis sur le trône, jamais il ne ferait un geste contre lui. Tout d'abord, Aÿ était le père de son épouse bien-aimée, et elle ne lui pardonnerait jamais d'avoir agi contre lui. Ensuite, bien avant même qu'il n'épousât Moutnedjémet, Aÿ l'avait pris sous sa protection. Et, puisqu'il était maintenant le gendre de Aÿ, il devenait l'héritier direct du trône d'Égypte. Le moindre soupçon quant à sa loyauté envers Pharaon l'éloignerait irrémédiablement du trône. De toute manière, Pharaon se faisait vieux, il valait donc mieux laisser le destin s'accomplir.

Convaincu que sa décision était la bonne, Horemheb s'endormit, enfin apaisé, au son des luths et des harpes. Les musiciens se retirèrent alors que les serviteurs continuaient à balancer les éventails au-dessus de lui.

Alors que le général de l'armée d'Égypte coulait dans une quiétude relative, ses collègues qui venaient de le quitter resserraient les rangs autour de Sethamount.

Neveu de Pharaon du côté de sa mère, Sethamount était un bel homme. Élancé de taille, il s'habillait avec recherche et distinction ; ses sourcils broussailleux recouvraient un regard sombre mais charmeur. Son sourire éclatant était fait, à coup sûr, pour séduire. C'est dans l'armée que Horemheb et lui avaient fait leur éducation : leur amitié s'était développée au cours de ces années-là.

Akhnamon, quant à lui, était moins grand que Sethamount. Bien qu'un peu plus replet et trapu, son allure était cependant noble. Une fossette au creux du menton lui donnait un air jovial et, lorsqu'il s'entretenait avec quelqu'un, ses yeux se plantaient dans ceux de son interlocuteur avec droiture et franchise.

Dans l'année qui suivit la rencontre de Horemheb et de Sethamount, Akhnamon était venu les rejoindre ; depuis, ils formaient un trio inséparable. Alors qu'Akhnamon avait pour son ami Horemheb une admiration et une amitié indéfectibles, Sethamount lui, était dévoré par une ambition qui le menait parfois à des excès.

— Horemheb est un inconscient ! s'exclamait-il. Puisqu'il ne veut pas prendre les décisions qui s'imposent, il faudra que nous agissions à sa place.

— Je crois que tu y vas un peu fort, Sethamount. N'oublie pas ce que nous devons à Horemheb : depuis qu'il a été nommé général de l'armée, il nous a confié des missions importantes. Il nous a toujours fait confiance et aujourd'hui, tu veux le poignarder dans le dos ! Que fais-tu de l'amitié qui nous a toujours unis ? En ce qui me concerne, je suis de l'avis de Horemheb : Pharaon n'en a plus pour longtemps avant la pesée du cœur. Il vaudrait mieux que nous attendions sagement qu'Osiris[6], le dieu de la Mort, vienne le chercher. D'ailleurs, n'est-ce pas Horemheb qui succédera à Pharaon sur le trône ?

Un rugissement l'interrompit. Sethamount, hors de lui s'écriait :

— Tu es un lâche, Akhnamon ! Où est donc ton patriotisme ? Tu oublies dans tout cela que l'avenir de ton pays est en péril !

— Je comprends ton point de vue. Mais ce n'est quand même pas une raison pour comploter contre ton roi, ton ami, ton frère...

Sethamount se tourna vers ses confrères :

— Vous l'entendez ? Il est d'accord avec nous, mais il ne veut pas se compromettre... Allons, je crois que nous avons assez discuté comme ça... Tu nous suis ou tu ne nous suis pas ?

— Non, je ne vous suis pas. D'ailleurs, mon frère, es-tu sûr que tu veux sauver ton pays ? N'est-ce pas plutôt ton ambition personnelle que tu veux assouvir et qui te fait perdre le sens de la réalité ?

Un moment de silence s'installa dans le petit groupe.

Sethamount se radoucit soudain, déployant son plus beau sourire :

— Qu'en pensez-vous, mes amis ? Va-t-il nous échauffer les oreilles encore

longtemps ? Allez, Akhnamon ! Je res-
pecte ta position, mon frère, mais tu
me pardonneras de ne pas partager ton
opinion.

Sur ce, Sethamount tourna le dos à son
ami et s'en alla, suivi de ses compagnons.

4

LE DÉSERT

Tiyi ne savait pas pourquoi elle se trouvait en plein désert. Le soleil ardent brûlait sa peau ; ses pieds nus s'enfonçaient dans le sable chaud. Chacun de ses pas était une souffrance. Malgré la soif qui la tenaillait, elle transpirait abondamment. Elle le savait, bientôt elle n'aurait plus de force. Elle se blottirait dans le creux d'une dune et ne serait plus qu'une tache foncée dans cet espace infini d'ocre. Osiris viendrait la chercher pour l'emmener dans la vallée des âmes perdues. Pourquoi avait-elle quitté sa famille ? Elle fouillait en vain dans sa mémoire, mais il n'y avait qu'un grand trou vide…

La réalité, c'est qu'elle était seule, dans le désert, assoiffée, brûlée, épuisée, ne sachant quelle direction prendre. Elle leva la tête. Râ était au milieu du ciel. Pas la moindre indication pour diriger ses pas : l'est, l'ouest, le sud, le nord ? Où aller ? Des larmes de lassitude et de désespoir se mirent à couler. Elle s'assit en haut d'un monticule de sable et laissa le désarroi l'envahir.

Soudain, la joie explosa en elle quand elle vit au loin le faîte d'un palmier. Elle se leva d'un bond et courut de toute la force de ses jambes qui s'enfouissaient inexorablement dans le sable.

— Il faut que j'y arrive, s'encourageait-elle, il faut que j'y arrive…

Mais, plus elle avançait, plus le palmier s'éloignait, semblant se diluer dans des vapeurs ondulées. Quoi ? Qu'est-ce que cela signifiait ? Elle se rappela les histoires de mirages que son père lui racontait lorsqu'elle était enfant. Était-ce un mirage ? Elle croyait voir, alors qu'il n'y avait rien, rien du tout devant elle :

— Ô Isis[7], ne m'abandonne pas ! suppliait-elle, éperdue.

Dans sa course effrénée, elle n'avait pas senti, sous ses pieds, que la terre était devenue rocailleuse. Elle se concentra pour mieux se rappeler ce que son père lui disait : « Lorsque le désert devient pierreux, c'est qu'on n'est plus très loin de la civilisation. »

L'espoir revenait en elle :

— Je trouverai ma route, quoi qu'il advienne, je retrouverai mon chemin !

Elle rassembla ses forces et marcha avec un peu plus de vigueur. Ses pieds étaient maintenant ensanglantés et la faisaient souffrir atrocement. Mais elle n'en avait cure et redoubla ses efforts. L'important était d'arriver. Elle leva à nouveau la tête vers le ciel : Râ s'inclinait enfin vers l'horizon. Bientôt, il ferait moins chaud. Cependant, il lui fallait trouver un refuge avant le crépuscule, car la nuit dans le désert était glaciale.

Perdue dans ses pensées, elle ne s'était pas aperçue qu'à quelques pas d'elle, un lion énorme la fixait de ses yeux jaunes. Son cœur s'arrêta de battre. Elle vacilla sous l'emprise de la peur…

Immobile, l'animal jouait avec ses griffes qu'il contractait et rétractait, tandis que le reste de son corps semblait de pierre. Tiyi était hypnotisée. Ils s'observèrent un long moment. Soudain, le fauve émit un grognement et retroussa ses narines. Il frémit de tout son être et prit son élan. Tiyi poussa un cri terrifiant. Mais alors qu'il bondissait, elle sentit la vibration d'une flèche traverser l'air et transpercer l'animal de part en part. Le lion rugit de douleur et s'effondra à ses pieds dans un dernier sursaut de vie. Un char équipé de deux chevaux filait vers elle à toute allure. Avant de glisser dans l'inconscience, Tiyi eut le temps de voir un regard sombre se pencher sur elle...

— Maîtresse, maîtresse, réveille-toi ! Arrête de crier ! Ce n'est qu'un rêve, ce n'est qu'un rêve !!!

Nefer secouait sa jeune maîtresse pour la réveiller. Tiyi émergeait douloureusement des abîmes profonds dans lesquels elle se trouvait. Elle était inondée de sueur, ses cheveux étaient collés à son visage et à ses épaules. Sa bouche asséchée réclamait à boire. Nefer lui apporta une gargoulette. Tiyi attrapa à deux mains la cruche en argile et but goulûment l'eau glacée qui la ranima. Elle s'assit au bord du lit et pleura doucement.

Dans la pénombre de la chambre, Nefer essayait de la rassurer :

— Ce n'est qu'un rêve, rien qu'un rêve, jeune maîtresse, ne cessait-elle de lui répéter.

Une petite brise s'infiltra par la fenêtre. Elle transportait avec elle un arôme de fleurs et un grésillement de grillon. Tiyi se calmait peu à peu. Elle raconta son rêve avec volubilité. Avec un linge humide, Nefer lui rafraîchissait le visage, le cou, la nuque et les mains. Enfin rassérénée, Tiyi s'enroula dans ses draps en frissonnant et se recoucha. Un regard sombre l'enveloppa et elle s'abîma à nouveau dans le sommeil.

Lorsque Néfrou se réveilla, il se demanda pourquoi le ciel était si sombre. Il sauta de son lit et se pencha à la fenêtre. Un vent chaud soufflait, charriant du sable, des ronces et des épines arrachées aux roches du désert, qui roulaient et tournoyaient en tout sens. Le sable s'infiltrait partout, même dans les plus infimes recoins. Depuis la nuit des temps, le « khamsin », la tempête du désert, annonçait l'approche de la saison chaude : elle n'épargnait personne. Les oiseaux se cachaient, les batraciens s'immergeaient et même les serpents se terraient.

Les yeux et les narines de Néfrou se remplirent instantanément de sable. Il recula en fermant les yeux et en crachant, baissa le rideau de jonc et le fixa fermement pour ne pas laisser pénétrer la tempête. Soudain, il se mit à pleurer. Il avait décidé la veille, qu'il irait se baigner dans le canal qui traversait le jardin. Il était évident maintenant que son projet ne pourrait s'accomplir.

Hati, son serviteur qui dormait toujours sur une natte au seuil de sa porte, se réveilla quand il l'entendit pleurer. Il entra dans la chambre et lui demanda, perplexe :

— Jeune maître, pourquoi pleures-tu, alors que Râ n'a pas encore ressuscité de sa longue nuit ?

— Regarde, tu ne vois pas que la tempête souffle ?

— Mais pourquoi tant de peine ? Chaque année, tu le sais bien, jeune maître, le vent de la saison chaude nous arrive du désert !

—Oui, mais je voulais me baigner dans la rivière aujourd'hui. Que vais-je faire maintenant ?

—Mais beaucoup de choses, maître. À commencer par prendre ton repas du matin.

—Mon repas du matin sera plein de sable ! Et je n'ai pas faim ! Je veux aller à la rivière, s'écria Néfrou en tapant du pied.

—Sois raisonnable, jeune maître, tu sais bien que tu ne peux sortir de la demeure aujourd'hui. D'ailleurs, personne ne pourra le faire. Autant t'en accommoder tout de suite et penser à faire des choses agréables.

—Agréable, agréable !! Que peut-on faire d'agréable aujourd'hui sinon manger du sable ! Tiyi est-elle réveillée ?

Sans attendre de réponse, Néfrou s'élança vers la chambre de sa sœur. Quand il ouvrit la porte, Tiyi dormait encore d'un profond sommeil. Mais il ne s'en inquiéta pas plus et se jeta sur elle en la secouant vivement. Réveillée en sursaut, Tiyi regardait son frère sans bien comprendre ce qui se passait. Néfrou l'accabla aussitôt de sa mauvaise humeur, voulant lui expliquer son chagrin en mots hachés. Tiyi, quant à elle, encore imprégnée par son rêve de la nuit, tentait de saisir ce flot intarissable de paroles et de larmes. Elle s'assit en tailleur sur son lit, avec son jeune frère à ses côtés. Même un réveil brutal ne pouvait altérer la douceur de Tiyi. Elle caressa le visage de son frère en essayant de l'apaiser du mieux qu'elle pouvait. Alors qu'elle tentait de le calmer, elle s'aperçut à son tour que quelque chose de trouble se passait. Elle se glissa hors de ses draps et se dirigea vers la fenêtre. Mais Néfrou l'arrêta dans son élan.

— Non, Tiyi, ne sors pas ta tête, dit-il en criant, c'est la tempête du désert ! C'est ce que je suis en train de te dire depuis tout à l'heure… Nous ne pourrons pas aller nous baigner dans la rivière. Tout est couvert de sable et nous serons obligés de rester enfermés.

— Oh non ! s'exclama-t-elle avec désespoir. Déjà père nous a demandé de ne pas sortir du domaine, et maintenant nous ne pouvons même plus sortir de la demeure, même pas ouvrir les rideaux au risque d'être envahis par le sable.

La journée sera bien longue. Que va-t-on bien pouvoir faire ?

— Je te propose une partie d'osselets, dit Nétrou d'un petit air coquin.

— Tu plaisantes... Je t'ai déjà dit que je ne jouerai plus aux osselets avec toi. Tu gagnes tout le temps et, de plus, c'est parce que tu triches...

— Je ne triche pas, s'écria-t-il furieux, en tapant du pied.

— Allez ! calme-toi, petit frère, nous trouverons bien quelque chose à faire.

La porte de la chambre s'ouvrit soudainement et Moutnedjémet apparut, toute parée. Elle portait une robe de toile jaune tombant en plis sur ses sandales dorées. Un pectoral en or rehaussait la finesse de son cou et de ses épaules. Elle regarda ses enfants et leur sourit d'un air radieux. Mais lorsqu'elle constata qu'ils n'étaient pas prêts à sortir de leur chambre, elle s'impatienta :

— Que faites-vous là, pas encore habillés ?... Dépêchez-vous de vous vêtir, votre père et moi, nous vous attendons dans sa salle de travail. Nous avons quelque chose à vous dire...

Puis elle leur tourna le dos et s'éclipsa.

Sans plus attendre, Néfrou retourna à la hâte dans sa chambre, alors que Nefer entrait pour aider sa jeune maîtresse à se préparer. Quelques instants plus tard, Tiyi et Néfrou se bousculaient à la porte de Horemheb.

— Du calme, du calme, s'exclama-t-il en riant. Si vous continuez à vous agiter ainsi, je vous promets de vous donner une bonne leçon de savoir-vivre. Allez entrez, mes enfants, regardez ça…

Dans une cage d'airain, deux bébés singes dormaient paisiblement. Les yeux de Néfrou s'écarquillèrent et Tiyi resta bouche bée.

— Oh, père, s'écria Tiyi en serrant ses mains sur son cœur, comment as-tu deviné ? Voilà si longtemps que je désire avoir un petit singe tout à moi !

Tout à coup, Néfrou se mit à sauter en poussant de grands cris.

— Néfrou, calme-toi, lui ordonna Horemheb, si tu continues à t'agiter ainsi, sache que je peux décider de retourner ces petits singes d'où ils viennent.

Néfrou se calma instantanément et regarda son père d'une façon de dire :

« Tu ne me feras pas ça, n'est-ce pas ? »
Puis, il s'inclina devant Horemheb et lui
dit humblement :

— Père, je te remercie de m'avoir offert
un petit singe. Je te promets de rester
calme, mais surtout je te promets d'en
prendre bien soin.

Sur ce, Néfrou s'installa devant la cage
et ne broncha plus. Il resta contemplatif
un long moment, alors que Tiyi, extasiée,
regardait les petits singes dormir.

Moutnedjémet se leva et dit :

— Eh bien, mes enfants, pour des
personnes qui ne savaient pas comment
passer leur temps aujourd'hui, on peut
bien penser que vous avez trouvé quoi
faire, n'est-ce pas ?

— Oui, mère, répondirent-ils en chœur
sans se retourner.

En cette matinée de tempête, il n'était
pas question pour Horemheb de suivre
son programme habituel. Il s'enferma
donc dans sa salle de travail et fit convoquer son scribe, à qui il dicta quelques
lettres, mettant à jour sa correspondance.
Puis, comme à son habitude, Mesia le mit
au courant des faits divers de l'armée :

— Seigneur, l'informa-t-il, le jeune Ramsès que tu viens de recruter dans ta garde personnelle semble être quelqu'un de confiance. Il prend à cœur ses responsabilités et s'acquitte de ses tâches avec habileté.

— Il est pourtant bien jeune, quel âge peut-il avoir ?

— Il a quinze ans, seigneur, mais tu sais bien que cela ne veut pas dire grand-chose !...

— En effet ! Eh bien, nous allons le surveiller de près. Et si ce que tu me dis se confirme, je verrai à le récompenser...

— J'ai autre chose à te dire, seigneur...

— ...

— Ce n'est pas une information qui te fera plaisir, bien au contraire...

— Eh bien ! dépêche-toi de parler...

— Il s'agit du seigneur Sethamount. J'ai entendu dire qu'il complotait contre Pharaon et contre toi aussi, seigneur...

— C'est impossible ! Il est mon meilleur ami... Et personne ne peut comploter contre la divine personne de Pharaon. Je ne sais pas où tu es allé chercher cette idée, mais elle est insensée...Tu peux te retirer maintenant...

5

RAMSÈS

Tiyi venait de terminer son cours d'écriture. Elle ressentait de la lassitude et se demandait ce qu'elle ferait du reste de sa journée. Selon la consigne de son père, elle ne pouvait quitter le domaine, même pour une promenade en barque. Avec un soupir de résignation, elle s'empara de son luth et égrena quelques notes. Son maître de musique lui reprochait de ne pas s'entraîner assez souvent. Tandis que ses doigts couraient sur les cordes de l'instrument, une imperceptible émotion s'empara d'elle. Elle inclina sa tête de côté, attentive à cette nouvelle sensation.

Elle se leva et se pencha à sa fenêtre. Un jeune homme se tenait immobile, le dos appuyé à un arbre. Il semblait attendre quelque chose ou quelqu'un.

Il leva la tête et Tiyi ressentit le choc de son regard sombre qui plongeait dans ses yeux. Son cœur flancha. Ses joues se teintèrent d'une rougeur subtile. Le souffle court, elle recula brusquement et se cacha derrière les rideaux de jonc, tout en continuant d'observer le jeune homme.

Nefer, qui entrait dans la chambre, la regarda, étonnée de l'étrangeté de son comportement :

— Que se passe-t-il, maîtresse ? Tu ne te sens pas bien ? lui demanda-t-elle.

Sans lui répondre, Tiyi lui fit signe d'approcher en silence. Lorsqu'elle arriva près d'elle, elle serra le bras de sa servante et la tira derrière le rideau :

— Tu vois ce jeune homme ? Qui est-il ? Le sais-tu ? dit-elle tout en émoi.

— Mais c'est Ramsès ! Le jeune et beau Ramsès ! Toutes les jeunes filles de la ville se pâment pour lui. Il est le nouveau capitaine de la garde personnelle de ton père.

— C'est la première fois que je le vois !

— Voilà bientôt deux mois qu'il est arrivé à la caserne pour compléter son éducation militaire. On dit qu'il est d'une grande bravoure et d'une intelligence supérieure, c'est pourquoi le seigneur Horemheb l'a nommé capitaine.

— D'où vient il ?

— Il vient d'une famille bien en vue de Memphis, à l'embranchement du delta[8], là où le Nil se sépare en deux.

— Est-il là pour longtemps ?

— Je ne sais pas, maîtresse, mais s'il a été nommé capitaine, cela pourrait signifier qu'il est là pour rester.

— Et que fait-il ici dans le jardin ?

— S'il est ici, c'est que le seigneur Horemheb est dans la demeure.

Tiyi regarda à nouveau par la fenêtre en se cachant toujours derrière le rideau, mais le jeune homme avait disparu et elle se sentit soudain désemparée. Puis, changeant tout à coup de sujet :

— Où est Néfrou ? demanda-t-elle.

— Il devait prendre sa leçon de tir à l'arc et ensuite sa leçon d'équitation.

— Il a de la chance, il peut sortir de la demeure, lui…

— Dans le désert, maîtresse, pas dans la ville. De plus, il est accompagné par son instructeur…

Un bruit insolite se fit entendre à l'étage du bas. Tiyi et Nefer se regardèrent et éclatèrent de rire. Pas de doute, Néfrou était revenu. Il se présenta à la porte de la chambre de Tiyi, poussiéreux et agité comme à son habitude :

— Aujourd'hui, j'ai lancé ma flèche en plein centre de la cible… et j'ai réussi à faire sauter mon cheval par-dessus une pierre haute comme ça, cria-t-il en s'accompagnant d'un geste qui démontrait la hauteur de son épaule.

— Pouah ! tu sens la poussière et la sueur, lui lança Tiyi. Va donc te laver. Tu nous raconteras tes prouesses plus tard.

Puis se tournant vers Nefer :

— Viens ! nous allons nourrir les serpents.

Elles s'en allèrent en bavardant vers les cuisines, plantant là un Néfrou déconcerté.

En passant par la grande salle, Tiyi ouvrit la cage des petits singes et prit délicatement son ouistiti dans ses bras. Elle l'avait surnommé Toui. Elle le cala affectueusement au creux de son épaule et lui dit :

— Tu vas t'installer là gentiment et tu vas me suivre !

Puis elles allèrent remplir deux écuelles de lait frais pour les serpents et se dirigèrent vers le jardin.

La main nonchalamment appuyée sur le manche du poignard suspendu à son pagne, Ramsès attendait Horemheb. Ils devaient aller ensemble faire un tour dans la cité pour s'assurer que tout était calme. Il portait une perruque de cheveux noir. Un pectoral en or garnissait sa poitrine nue et hâlée. Son entraînement militaire avait musclé ses épaules et ses bras. Sa peau cuivrée reluisait sous l'effet des huiles. Ramsès était beau et son allure fière lui donnait un air arrogant.

En ce moment précis, il pensait à Tiyi. La première fois qu'il l'avait aperçue, sa beauté l'avait atteint en plein cœur. Il ne pouvait s'empêcher de la contempler chaque fois qu'il la croisait. Il leva la tête et la vit penchée à sa fenêtre. Elle recula vivement, mais il avait eu le temps d'apercevoir la couleur de ses yeux. Il resta saisi. Jusqu'alors, il ne s'était pas rendu compte de la clarté limpide du regard de Tiyi. Son cœur se raccrocha à cette vision. Alors Ramsès se détourna à contrecœur et se dirigea vers l'embarcadère en soupirant. Un acacia déployait ses branches, dessinant ses lignes pures sur l'eau scintillante du lac. Ses fleurs jaunes dégageaient un parfum qui provoqua en lui une langueur inconnue…

Alors qu'il était plongé dans ses pensées, un craquement de branches le tira de sa torpeur et le ramena à la réalité. Il esquissa un geste, croyant que c'était Horemheb qui le rejoignait. Mais alors qu'il se retournait, il aperçut à travers les branches une silhouette qui s'enfuyait. Il voulut se précipiter pour suivre l'intrus, mais des rires derrière lui interrompirent son élan.

Au détour d'un sentier, Tiyi et Nefer apparurent, transportant chacune un bol de lait, qu'elles déposèrent au pas de la porte de la demeure qui donnait sur le jardin. Elles avaient l'habitude de procéder ainsi tous les jours, pour empêcher les serpents de pénétrer dans la maison.

Ramsès s'approcha doucement et Tiyi s'immobilisa en l'apercevant. Ils étaient maintenant à quelques pas l'un de l'autre. Ils se regardèrent sans oser esquisser le moindre geste. Nefer, discrète, entra dans la maison. Enfin, Tiyi se décida :

— Tu es Ramsès, le nouveau capitaine de la garde de mon père ?

— C'est moi. J'attends le seigneur pour aller dans la cité avec lui.

— Sois le bienvenu, Ramsès. J'ai entendu dire beaucoup de bien à ton sujet.

— Je te remercie, princesse, répondit-il sans trop savoir quoi ajouter.

Une bousculade éclata à l'entrée de la demeure.

— Laisse-moi passer, criait Néfrou. Tiyi ! Tiyi ! appela-t-il à tue-tête et en apparaissant rouge de colère, Nefer ne veut pas me laisser passer.

Il s'arrêta net en apercevant Ramsès. Son regard se promena de l'un à l'autre. Il observa sa sœur intensément.

— C'est à cause de lui que Nefer ne voulait pas me laisser passer ? demanda-t-il.

— Mais non ! Que vas-tu imaginer ? Je viens à l'instant de rencontrer Ramsès. C'est le capitaine…

— Je sais qui il est, dit-il effrontément en l'interrompant. Il n'y a que toi pour être en retard sur les nouvelles.

— Ne sois pas déplaisant, Néfrou, et fais plutôt des salutations à Ramsès !

— Pourquoi ? Je n'en ai pas envie ! répliqua-t-il en se collant à elle et en la tirant par la main. Allez viens, on s'en va !

— Pour aller où ? questionna-t-elle.

— N'importe où, sauf ici. Allez viens ! cria-t-il en tapant du pied.

Toui cacha son visage dans le cou de Tiyi en couinant de peur.

— Eh bien, que se passe-t-il ici ? demanda Horemheb, dont la haute stature se découpa dans la porte.

— C'est encore Néfrou qui fait des siennes, père, répondit Tiyi avec rancœur. Je crois bien qu'il fait une crise de jalousie !

— De jalousie, et pourquoi donc ?

C'est alors qu'il vit Ramsès. Son regard se promena de lui à Tiyi :

— Hum ! fit-il d'un air entendu. Allez, Ramsès, nous n'avons pas de temps à perdre...

Sur ce, Horemheb et son jeune capitaine se dirigèrent vers l'embarcadère, laissant Tiyi désemparée et Néfrou ravi du dénouement. Quand ils disparurent derrière la futaie, une ombre glissa dans les arbustes. Affolé, un martinet s'envola en poussant un cri déchirant. Tiyi s'arrêta.

— Il y a quelqu'un? demanda-t-elle.

Néfrou voulut s'élancer dans l'allée, mais Tiyi le retint.

— Non! Ne t'éloigne pas de moi. D'ailleurs, mère nous attend. Nous devons aller visiter sa cousine, l'épouse de Sethamount.

En entrant dans la demeure, elle ressentit cette même sensation qui l'avait déjà saisie à quelques reprises. Se sentant observée, elle se retourna et fouilla la végétation d'un œil attentif. Tiyi resta immobile quelques instants, attendant que quelqu'un se déclare. Mais rien ne bougeait dans le jardin.

— C'est étrange! Ce n'est pas la première fois que j'ai l'impression que quelqu'un m'épie. Et toi, Néfrou, sens-tu cela aussi?

— Non, mais ne crains rien, petite sœur, je serai toujours là pour te défendre.

Tiyi sourit à son frère. Ensemble ils entrèrent dans la maison pour rejoindre leur mère.

6

LA CRUE DU NIL

Le temps de la crue du Nil avançait à grands pas. Chaque année, à l'époque la plus chaude, le fleuve débordait de son lit, inondant les champs et les villages riverains. Il charriait dans ses eaux venues des contrées lointaines une riche terre vaseuse, le limon, qu'il répandait comme une semence fertile sur les rives et les terres agricoles.

Gonflé par l'afflux des pluies tropicales, arrivant des confins de l'Afrique équatoriale où il prenait sa source et jusqu'à la *Grande-Verte** dans laquelle il se jetait, le Nil traversait plusieurs pays dans une course effrénée. Il formait une vague noirâtre qui charriait dans son élan des troncs d'arbres, des carcasses

* Mer Méditerranée.

d'animaux et des détritus. L'eau déferlait vers les terres avec une rapidité effroyable, inondant tout sur son passage.

Une fois la vague passée, le long de la vallée, le Nil se transformait en un grand lac dormant et calme. Entre les deux bras du fleuve, le delta était complètement inondé et ressemblait à une mer sans fin qui miroitait au soleil. Les paysans s'arrêtaient alors de travailler. Ils voyageaient pour que leur sol ait le temps d'absorber toute cette eau et ce limon, qui rendaient la terre d'Égypte si généreuse. Ils visitaient leurs familles qui habitaient d'autres villages et, quelquefois, ils se rendaient aux temples pour faire leurs dévotions aux dieux.

La chaleur devenait de plus en plus torride. À l'heure où Râ parvenait au milieu du ciel, les rues de la cité se vidaient. Les rares passants qui osaient s'aventurer dans cette fournaise le faisaient en se déplaçant d'un point d'ombre à un autre. Même les chats et les chiens se cachaient. L'heure de la sieste devenait indispensable.

Dans la demeure de Horemheb, dont les fenêtres étaient closes par des tentures, on n'entendait que le froufrou des éventails que les serviteurs balançaient inlassablement au dessus des maîtres pour les rafraîchir.

Tiyi gisait sur sa couche en attendant l'heure plus clémente à laquelle Râ descendrait lentement dans le ciel. Son petit singe dormait paisiblement contre son flanc, roulé en boule. Il dégageait de la chaleur, mais Tiyi n'osait le déplacer de peur de le réveiller. Elle tenait dans sa main un chasse-mouches en crins de queue de cheval attachés à un manche d'ébène. De temps à autre, elle balayait l'air autour d'elle pour chasser les insectes. Depuis que Toui était entré dans sa demeure, tout tournait autour de lui ; il en était d'ailleurs de même pour Néfrou. Tous deux se réjouissaient de posséder chacun son petit singe. Ils les nourrissaient et s'occupaient de leur toilette afin qu'ils n'attrapent pas de puces. Ils leur apprenaient aussi beaucoup de choses avec patience et les récompensaient avec des bananes et des cacahuètes. Les ouistitis croissaient en taille, mais certainement pas en sagesse : ils sautaient partout, cassant quelquefois des poteries de valeur, au grand désespoir de Moutnedjémet.

Tiyi vivait des instants de grande fébrilité, immanquablement suivis de périodes de découragement. Les yeux sombres de Ramsès la poursuivaient partout. Elle avait pourtant l'occasion de le voir et de lui parler, car il était souvent dans la demeure, mais leurs conversations la laissaient inassouvie : elle aurait voulu que ces rencontres durent l'éternité. Quant elle le voyait, elle sentait battre son cœur jusque dans ses oreilles. Que s'était-il donc passé ? Était-ce cela, l'amour ? Cette soif inaltérable de l'autre ? Et lui, pensait-il à elle ? Tout était si nouveau et inconnu… Elle ne cessait d'en parler à Nefer, sa seule confidente. Celle-ci la regardait avec indulgence et lui recommandait la patience.

— La patience, mais de quelle patience parles-tu donc ? s'énervait-elle.

Tiyi changeait à vue d'œil. Ses gestes devenaient plus langoureux, sa voix plus doucereuse, mais personne ne s'en apercevait. À l'exception de Néfrou, bien entendu, qui ne la quittait plus d'un pas.

Chaque fois qu'elle rencontrait Ramsès au détour d'un couloir, il s'infiltrait entre eux. Elle devenait alors irascible envers son frère, ce qui n'était jamais arrivé auparavant : «Petit Néfrou, pardonne-moi, je vais essayer d'être plus patiente avec toi dorénavant», pensait-elle avec tendresse.

Néfrou dormait profondément. Pendant la matinée, il s'était entraîné au tir à l'arc avec son instructeur. Après le repas de la mi-journée, il s'était jeté épuisé sur son lit et s'était endormi presque immédiatement. Nefnef était assis sur le coin de sa couche et le regardait fixement en attendant qu'il se réveille. Lorsqu'enfin il ouvrit les yeux, le petit singe se mit à sautiller et à couiner allègrement. Néfrou brûlait de chaleur. Il se leva soudain et, prenant le ouistiti dans ses bras, il lui dit :

— Allez viens ! Nous allons nous baigner dans la mare !

Hati le rejoignit à la porte de la demeure qui donnait sur le jardin :

— Où vas-tu ainsi, jeune maître ?

— Plonger dans l'étang avec Nefnef...

— Mais, jeune maître, tu sais que c'est dangereux. La crue du Nil peut nous surprendre à tout instant, et d'ailleurs, dame Mout…

— Eh bien, l'interrompit Néfrou, tu n'as qu'à rester dans la demeure, moi, j'y vais…

Son singe installé sur son épaule, il s'engagea dans les allées ombragées. À leur arrivée, les ibis s'envolèrent. Nefnef descendit de l'épaule de Néfrou et courut derrière les aigrettes et les hérons qui prirent leur envol aussitôt. Tout le petit monde qui grouillait au bord de l'étang se sauva à leur approche. Néfrou se coula dans l'eau pure et fraîche. Mais Nefnef, qui n'aimait pas se mouiller, se jucha sur sa tête.

Hati avait suivi son jeune maître et le surveillait, assis à l'ombre d'un arbre. Tout à coup, il vit le singe se dresser en gesticulant avec frayeur, montrant les dents, poussant des cris stridents et tirant avec frénésie sur la mèche de cheveux de Néfrou :

— As-tu perdu la tête ? Qu'est-ce qui te prend ? dit Néfrou à son singe en tentant de le calmer.

Mais le singe ne voulait rien entendre. Ses cris redoublaient, plus pointus. Il commença à sautiller frénétiquement sur la tête du jeune garçon qui continuait à patauger dans l'eau, puis il se sauva sur la rive et disparut dans les talus.

C'est alors qu'ils perçurent un bruit sourd qui venait du lac et qui se rapprochait rapidement. Hati se tourna du côté d'où venait le grondement et prêta l'oreille. Du fond du lac, il vit la vague d'eau noire s'élever et progresser vers eux.

— La crue, la crue ! Maître ! Attention ! hurla-t-il en courant vers lui et en plongeant à son tour dans l'étang.

Ce fut l'affaire d'un instant : déjà la vague était sur eux et les balayait comme des fétus de paille. Néfrou savait nager, mais il n'avait pas assez de force pour combattre le courant. Il se sentit emporté furieusement et tenta en vain de garder la tête hors de l'eau, mais chacun de ses mouvements le faisait sombrer un peu plus. Il prenait de grandes respirations chaque fois que sa tête émergeait, mais la fatigue avait raison de sa résistance. Il eut un sursaut de volonté puis il se laissa engloutir. À cet instant, Néfrou se sentit happé par sa mèche de cheveux et tiré à l'air libre. Il pouvait enfin respirer et s'accrocher maintenant à son serviteur qui le soutenait solidement.

Hati s'était débattu un long moment contre le courant. Lorsqu'il avait sorti enfin sa tête de l'eau boueuse, il avait cherché Néfrou du regard. Il l'avait vu qui coulait. Il avait nagé vers son jeune maître avec la force du désespoir. Par miracle, il avait réussi à agripper la tresse de Néfrou. Au même instant, ils passèrent près d'une branche d'arbre qui pendait de la rive. D'une main, Hati s'y accrocha et de l'autre il tira Néfrou vers lui. Le jeune garçon perdit connaissance alors que Hati reprenait doucement son souffle. Il regarda son jeune maître qui semblait ne plus respirer. Paniqué, il poussa de grands cris pour appeler au secours.

Moutnedjémet veillait à ce que ses enfants continuent d'être heureux. L'agitation du peuple dans la cité se faisait sentir de plus en plus. En outre, avec l'approche de la crue du Nil qui

inonderait bientôt le jardin, nul ne pourrait sortir de la maison. Aussi pensait-
elle que son époux avait été bien inspiré
d'acheter Toui et Nefnef aux enfants. Elle
souriait avec indulgence aux folies des
petites bêtes, sachant bien qu'un jour
elles se calmeraient aussi.

Elle était étendue sur son lit, ruisse-
lante de sueur, respirant avec difficulté
dans la chaleur suffocante. Les éventails
que ses servantes balançaient au-dessus
de son corps ne lui procuraient qu'un
semblant de fraîcheur et ne parvenaient
pas à la soulager.

« J'espère bien qu'Isis nous enverra
quelques gouttes de pluie pour rafraîchir
l'atmosphère ! L'année prochaine, pensa-
t-elle, je ne resterai pas au cœur de la cité.
J'irai comme d'habitude avec les enfants
dans notre résidence du delta. Au moins,
dans cette région, la température est plus
clémente. »

Bien que Horemheb possédât plusieurs
demeures à travers le pays, la résidence
du delta appartenait à Moutnedjémet ;
elle l'avait reçue de sa mère, Tey, qui était
maintenant épouse royale et qui devait
vivre auprès de son époux. Moutnedjémet

---

avait l'habitude de s'y rendre avec Tiyi et Néfrou à chaque époque de la crue du Nil. Cette résidence était située à quelques jours de barque de Thèbes, proche de la *Grande-Verte*, là où le vent du littoral les aidait à traverser la saison difficile. Cette année pourtant, Moutnedjémet avait décidé de ne pas quitter la cité. Elle était préoccupée par la situation dangereuse où se trouvait Pharaon et croyait qu'il valait mieux rester à Thèbes, au moins jusqu'à la fin du conflit. Alors qu'elle ressassait ces pensées dans sa tête, Moutnedjémet entendit un grondement et sentit son lit bouger.

— La crue ! pensa-t-elle immédiatement.

Allant à la fenêtre, elle vit la vague déferler dans le jardin. « Une forte crue cette année, se dit-elle. Pourvu qu'il n'y ait personne dans le jardin. »

Elle sursauta en entendant un cri. Elle sortit de sa chambre précipitamment et descendit vers la grande salle. Elle faillit se cogner à l'intendant Séti, qui accourait vers elle.

— Vénérée maîtresse, le petit Néfrou a été surpris par la montée des eaux dans le jardin. Mais ne t'inquiète pas… Il est sauf… J'ai envoyé des serviteurs pour le ramener. Ils reviennent dans la demeure…

Stupéfaite, Moutnedjómet ne dit mot. Elle se précipita dans la grande salle, la gorge nouée de peur. Comme elle y pénétrait, les serviteurs arrivaient, portant Néfrou inanimé. Une sourde angoisse l'envahit, mais elle garda son calme et donna ses ordres :

— Vite, portez-le dans sa chambre…

Elle s'agenouilla devant sa couche et lui mit la main sur le front. Malgré la chaleur insoutenable, Néfrou était glacé. Il ne bougeait pas. Dans le silence de la chambre, on entendait son souffle court et rauque.

— Déshabillez-le et apportez-moi des huiles tièdes de mandragore.

Elle savait que cette plante à la racine fourchue, qui ressemblait à une forme humaine, avait des vertus magiques.

Quand les serviteurs revinrent avec les bols d'huile, elle frictionna le corps de Néfrou : « Ô Isis, sois clémente ! Sauve mon fils et je te promets de sacrifier un jeune taureau à l'autel d'Amon[9] », supplia-t-elle en son for intérieur.

Néfrou cependant revenait tranquillement à la vie sous les frictions énergiques de sa mère. Dès qu'il recouvra quelque peu ses esprits, il s'inquiéta de ne pas trouver Nefnef à ses côtés. Mais il n'avait pas encore la force de réagir. De grosses larmes se mirent à couler sur ses joues. Moutnedjémet comprit aussitôt la raison de son chagrin et ordonna à son intendant, qui était demeuré auprès d'elle, d'aller à la recherche du petit singe.

Séti sortit précipitamment de la salle. Il aboya ses ordres en recommandant aux serviteurs de ne pas revenir sans le ouistiti, sous peine de gros châtiment.

De son côté, Néfrou reprenait lentement du mieux. Sa mère l'enveloppa dans des draps de fine toile et attendit que sa respiration se stabilise. Sur ces entrefaites, Tiyi entra. Nefer l'avait avertie de l'accident. Elle s'agenouilla auprès de son jeune frère en sanglotant. Moutnedjémet ne tarda pas à la rassurer :

— Tiyi, ma fille bien-aimée, il va mieux, ne t'en fais pas ! Il reprend tranquillement son souffle. Je t'avoue que j'ai eu peur moi aussi. Je ne sais pas quand ton petit frère mettra de la sagesse dans sa tête. Je présume qu'il était allé se baigner dans l'étang avec son singe pour le rafraîchir. Je l'avais pourtant bien averti des dangers de la crue du fleuve, mais il n'écoute pas, il n'écoute jamais. Et voilà, une leçon de plus pour lui !…

— Mère, es-tu certaine qu'il va mieux ?… Il faudrait peut-être consulter le médecin, implora Tiyi, les yeux encore mouillés de pleurs.

— Non, non, cela ira ! répondit Mout-nedjémet en lui caressant les cheveux. Il respire mieux et bientôt il n'y paraîtra plus rien. Le plus important, maintenant, est de retrouver Nefnef. Sinon, nous aurons de graves problèmes.

Ramsès apparut sur le pas de la porte, ruisselant de la tête aux pieds. Il tenait dans ses bras le petit singe tremblant. Nefnef montrait ses dents et ses gencives en criant. Il semblait complètement affolé. Dans sa torpeur, Néfrou l'entendit. Les yeux toujours fermés, il sourit cependant et comme par magie, sa respiration se fit plus régulière.

— Je l'ai trouvé accroché à une branche d'arbre dans le jardin, dit

Ramsès essoufflé, en présentant le singe à Moutnedjémet.

Mais c'est Tiyi qui s'en saisit. Rouge de confusion, elle remercia Ramsès en bafouillant.

— Donne-moi un linge pour le sécher, dit-elle en s'adressant à Nefer.

Émue, les mains tremblantes, elle frictionna le singe puis l'enveloppa dans une étoffe de toile sèche et le coucha auprès de Néfrou.

Malgré son désarroi, Moutnedjémet ne put s'empêcher de constater que l'attitude de Tiyi avait changé à l'entrée de Ramsès. Elle observa sa fille et le jeune homme attentivement, et remarqua qu'il la dévorait des yeux. Sous l'emprise du regard sombre, Tiyi se tenait debout, désemparée, ne sachant trop que faire.

Pour mettre fin à cette situation embarrassante, Moutnedjémet ordonna à tout le monde de se retirer et s'installa au chevet de son enfant. « Ô Amon, dieu de Haute et de Basse-Égypte, je te remercie d'avoir sauvegardé la vie de mon fils. Je ne tarderai pas à aller au temple pour y sacrifier un jeune taureau en ton honneur », soupira-t-elle, dans le silence de la chambre désertée.

Râ alla se cacher derrière les eaux qui ne cessaient d'affluer et de recouvrir les sols assoiffés. Séti entra dans la chambre à pas feutrés et alluma les lampes à huile qui grésillèrent. De la fenêtre ouverte s'élevait le clapotis des eaux et le coassement intermittent des crapauds et des grenouilles. La stridulation d'une cigale perça l'air. Moutnedjémet se crispa, serra les dents et continua de veiller son enfant.

Dans les couloirs à peine éclairés, Ramsès se rapprocha de Tiyi. Il la poussa doucement dans un coin, prit sa main et la couvrit de baisers, puis, en se penchant vers elle, il plongea son regard sombre dans le sien. Une odeur d'homme envahit Tiyi. Le souffle chaud de Ramsès effleura son visage, une vague torride la submergea et ses genoux fléchirent. Pour ne pas défaillir, elle s'adossa au mur et une plainte s'échappa de sa gorge... Alors, aussi vite qu'il s'était approché d'elle, Ramsès recula, tourna les talons et s'éloigna.

7

LES PRÉPARATIFS DE LA FÊTE

Quand Horemheb apprit l'accident de son fils, il fut pris d'une folle colère et fit sur-le-champ appeler Hati. Celui-ci arriva dans le bureau du maître en tremblant et en rampant à ses pieds. Horemheb croisa ses bras musclés et se campa, jambes écartées, devant le serviteur affolé :

— Qu'est-il arrivé ? l'interrogea-t-il, d'une voix sourde.

Hati tremblait tellement qu'il avait de la difficulté à articuler ses mots. Tout le monde savait que Horemheb ne se mettait pas facilement en colère, mais lorsqu'il y succombait, il devenait intraitable. La punition qu'il infligeait au coupable était d'une grande sévérité.

Toujours accroupi devant son seigneur, Hati put enfin parler :

— J'ai supplié le jeune maître de ne pas aller dans le jardin, mais il ne m'a pas écouté, seigneur. Il ne voulait rien entendre, il m'a bousculé et s'est dirigé vers l'étang. Je l'ai suivi malgré lui pour le protéger. Pendant qu'il se baignait avec son singe dans la mare, j'ai vu l'animal agir d'une drôle de manière. J'ai crié pour avertir le jeune maître, mais c'était déjà trop tard. Nous avons été engloutis par la violence des eaux qui montaient. Une grosse lame recouvrait l'étang et nous emportait. Malgré le courant, j'ai réussi à agripper le maître et à soutenir sa tête hors de l'eau. Je me suis mis à crier pour avoir du secours…

Horemheb décroisa ses bras. Sa colère était quelque peu atténuée. Il comprenait que ce n'était pas vraiment la faute de Hati. Toutefois, il ordonna à Séti de lui administrer dix coups de bâton.

— Afin, dit-il, que tu sois plus vigilant une autre fois.

Horemheb s'assit à son bureau et regarda par la fenêtre en mastiquant son clou de girofle avec rage. Cela faisait quelques jours maintenant que le jardin était recouvert d'eau. Sa demeure avait été construite sur un monticule, ce qui évitait qu'elle ne soit inondée chaque année. Il eut une pensée bienheureuse pour cette saison qui lui apportait la richesse. Quand la crue était abondante, elle fertilisait ses terres qui lui donnaient quatre récoltes par année. Ses immenses champs de coton et de lin faisaient sa fierté...

Mais il s'était détourné de l'objet de sa réflexion. La Fête du Nil le préoccupait beaucoup ces derniers temps. Chaque année, après la décrue, lorsque la terre avait bu abondamment l'eau que les dieux d'Égypte lui envoyaient, le fleuve revenait tranquillement dans son lit. Il retrouvait alors son flot habituel et, dans la grande ville, la vie reprenait son rythme normal. Les jardiniers nettoyaient les allées, les arbustes, les plantes et les fleurs du limon qui était collé à leurs feuilles et pétales. Chaque bosquet faisait l'attention particulière d'un jardinier. Et ce, jusqu'à ce que les jardins des demeures reprennent leur aspect d'avant la crue. Le marché reprenait possession du cœur de la cité qui se remettait à battre.

C'est alors que commençaient les préparatifs de la Fête.

Mais cette année, la Fête prenait des allures troublantes. Tout laissait présager qu'une émeute aurait lieu et Horemheb devait se préparer à affronter avec ses soldats cette néfaste possibilité.

Dans un ciel sans nuages, un milan, rapace millénaire de l'Égypte, poussa son cri lugubre. Horemheb se leva soudain, mu par un mauvais pressentiment. Un long frisson parcourut son échine, mais il était un homme d'action qui ne se laissait pas influencer par des pensées macabres. Il quitta sa salle de travail et partit à la recherche de Ramsès.

Tiyi était perdue dans ses pensées. Elle accomplissait ses tâches journalières comme une automate. Tout son être était constamment tendu vers un seul désir : elle avait besoin de la présence de Ramsès, car rien d'autre ne comptait. Elle se penchait souvent à sa fenêtre dans l'espoir de l'apercevoir. Mais depuis l'accident de Néfrou, elle ne l'avait pas revu : on aurait dit qu'il l'évitait.

Ce matin-là, elle avait décidé d'aller à sa rencontre. Néfrou prenait sa leçon d'équitation et ne risquait donc pas d'intervenir. En descendant les marches de la demeure, ses jambes tremblaient et son cœur battait la chamade. Elle faillit abandonner et retourner se cacher dans sa chambre.

— Non, se dit-elle, il faut que je lui parle et que je sache pourquoi il me fuit…

Elle respira profondément pour se ressaisir et sortit dans le jardin. Autour de la maison, seuls les jardiniers s'affairaient à tailler les buissons et à nettoyer les allées. Elle se dirigea vers l'étang.

Une branche à la main, Ramsès taquinait les grenouilles d'un air distrait. Il était assis sur une pierre, les pieds dans l'eau. « Ô Amon, que m'arrive-t-il ? C'est bien la première fois que je ressens cette émotion. » Depuis qu'il lui avait imprudemment révélé ses sentiments, Ramsès évitait de se retrouver devant Tiyi. Chaque fois qu'elle venait vers lui, il s'esquivait. Elle était en âge de prendre un époux. Le seigneur Horemheb devait certainement la destiner à un prince quelconque. Dans son cas, même si ses parents possédaient quelques richesses, Ramsès n'était pas issu d'une famille noble : il n'avait donc aucune chance d'être parmi les élus. Cette certitude provoqua en lui un découragement et des larmes de frustration montèrent à ses yeux. Il entendit des pas dans le sentier qui conduisait à la mare. En refoulant sa peine, il se leva.

Tiyi se dirigeait vers lui d'un air décidé. Il eut un élan vers elle, mais le réprima. Tout près l'un de l'autre maintenant, ils se regardèrent sans parler. Quelques feuilles se mirent à bruire, agitées par la brise. Un rayon de soleil s'infiltra parmi les branches, dessinant des ombres sur le visage de Tiyi. Un papillon blanc virevolta entre eux. Son vol gracieux formait des arabesques dans l'air chaud. Malgré la folle envie qu'il avait de la prendre dans ses bras, Ramsès ne bougea pas. Il serra les dents pour se contrôler et les muscles de ses mâchoires se crispèrent. Il attendit respectueusement que Tiyi fasse les premiers pas. Toutefois, subjuguée par le sombre regard, elle n'arrivait pas à articuler un mot. Ils continuaient donc à se fixer sans broncher. Enfin, le souffle court, elle réussit à dire :

— Pourquoi me fuis-tu ?

— Tu sais que rien n'est possible entre nous, princesse !

— Qui a dit cela ? Mon père ? prononça-t-elle avec difficulté.

— Non, princesse, ce n'est pas ton père, ni personne de ta famille. Mais je n'ai pas besoin de me le faire dire pour savoir que je ne peux t'aimer librement.

— Pourquoi ?

— Ne me torture pas, princesse. Je ne suis pas de famille noble et tes parents n'accepteront jamais que nous nous aimions.

— Ce que tu dis est absurde, s'insurgea-t-elle, en reprenant de l'assurance. Mon père non plus n'était pas issu d'une famille noble, cela ne l'a pas empêché d'épouser ma mère et d'être général d'Égypte. Pourquoi en serait-il autrement pour toi ?

Mais ils ne purent poursuivre leur conversation. Horemheb se rapprochait d'eux en les observant d'un air inquisiteur.

Instinctivement, ils s'éloignèrent l'un de l'autre.

— Eh bien ! Ramsès, cela fait un bout de temps que je te cherche. Nous devons nous rendre à la caserne immédiatement. Va apprêter mon palanquin[10].

Horemheb attendit que Ramsès s'éloigne puis, se tournant vers Tiyi, il lui demanda :

— J'ai l'impression que ce jeune homme ne te déplaît pas !

— En effet, père.

— Eh bien, je n'ai rien contre cela. En autant que ses intentions soient honnêtes. Tu sais bien que je ne veux que ton bonheur.

Sur ce, il embrassa sa fille tendrement et retourna vers la demeure. Il ramassa son fouet au passage avant de grimper dans la chaise porteuse[11]. Ses serviteurs le conduisirent à la caserne, Ramsès suivant à pied.

Une fois arrivé, Horemheb fit convoquer Kafer, son second, et tous trois ensemble ils révisèrent les positions des soldats pour le jour de la Fête. Ils revirent au complet les mesures de protection mises en place. Horemheb avait tout prévu : trois cents soldats seraient déployés à travers la cité pour parer à toute éventualité d'émeute.

— Il est hors de question que le dieu Horus soit attaqué. Si cela devait advenir, ce serait le plus grand sacrilège de l'histoire de l'Égypte. Et il n'est pas écrit que cela se passera tant que Horemheb sera général de l'Égypte, leur dit-il d'une voix ferme et rêveuse en même temps.

Il ferma les yeux, accablé par l'éventualité d'une telle profanation. Son dos se voûta. « Majesté, pensa-t-il, tu as été pour moi un père et un ami. Tu m'as protégé contre vents et marées. Nous avons traversé ensemble trois royautés. Tu m'as maintenu comme général et chef des armées, la fonction la plus importante de notre pays. Tu m'as conservé ta confiance. Aujourd'hui, tu es le dieu Horus, Pharaon des deux Égyptes, tu règnes sur un empire immense. Je ne désavouerai pas la confiance que tu as placée en moi. Tant que je vivrai, personne ne mettra la main sur ton auguste personne. Je me fais le garant de cette promesse ou je mourrai. »

Sur cette loyale pensée envers son souverain, il se sentit rasséréné. Les effectifs qu'il avait mis en place pour protéger Pharaon et sa reine lui semblaient suffisants. Il regarda vers le temple et pria : « Ô Amon, dieu tout-puissant, puisses-tu m'accorder les ressources nécessaires en ce jour de Fête qui arrive, pour qu'il se déroule sans épreuves. Je te promets de sacrifier un jeune taureau à ton autel. » Ainsi, pour des raisons différentes, Moutnedjémet et Horemheb faisaient la même promesse à leurs dieux.

En sortant de la caserne, il s'adressa au jeune homme qui le suivait comme une ombre :

— Ramsès, je pense bien que nous avons tout prévu et que nous sommes à l'abri d'une catastrophe. Qu'en penses-tu ?

— Oui, seigneur, répondit Ramsès. Je le pense aussi.

— J'aimerais que ce jour-là tu t'assures que tout fonctionne bien, car moi-même et ma famille serons auprès de Pharaon… À propos de ma famille, je crois que ma fille te plaît ?

— Oui, seigneur, répondit Ramsès tout confus. Mais je n'agirai jamais à l'encontre de vos désirs.

— J'aime ton honnêteté, je n'en ai d'ailleurs jamais douté. Je ne t'interdirai pas de voir ma fille. Mais je veux d'abord m'assurer que tes intentions sont pures, car tu sais combien elle m'est chère et je ne voudrais pas qu'elle souffre à cause de toi !

N'en croyant pas ses oreilles, Ramsès s'exclama tout heureux :

— Oh seigneur ! Soyez-en assuré, jamais, jamais je ne lui ferai de mal…

Ils se dirigèrent vers le centre de la ville où les ouvriers travaillaient ferme à la préparation des Fêtes. Ils construisaient l'estrade sur laquelle seraient fixés les deux trônes du Pharaon et de la reine. On l'avait recouverte d'un auvent de fine toile écarlate. Les travaux avançaient à grands pas. L'embarcation royale devait arriver par la voie du lac en face de la grand-place ; celle-ci avait été nettoyée et débarrassée des éventaires des marchands, et des pots de fleurs étaient déjà installés tout autour. À cause des chaleurs intolérables, la Fête n'aurait pas lieu avant que Râ n'entame sa descente vers le lac.

Dès que les murs de la caserne les eurent cachés, Kafer s'en alla d'un pas précipité vers la demeure de Sethamount. À l'entrée, le gardien le reconnut et le laissa pénétrer dans le jardin. Il traversa les allées de pierrailles multicolores protégées par des arches de bois recouvertes de vigne. Quand Sethamount le vit, il fronça les sourcils :

— Que viens-tu faire ici ? Je t'avais interdit de le faire…

— Seigneur, je viens d'avoir une réunion avec le général Horemheb. Et je suis venu te mettre au courant des forces militaires qu'il a décidé de déployer le jour de la Fête du Nil pour protéger Pharaon. Je pense bien qu'il faudra changer tes plans.

— Ce n'est pas à toi de me dire ce que j'ai à faire. Dis-moi plutôt ce qu'il en est des forces militaires de Horemheb.

Kafer informa le neveu de Pharaon de la stratégie de défense du général.

Sethamount resta pensif quelques instants. Puis, se tournant avec impatience vers Kafer, il lui dit :

— Va tout de suite avertir les autres de venir me rejoindre ici après que Râ se sera couché.

8

LA FÊTE DU NIL

Malgré le bruit sourd qui s'élevait de la foule rassemblée sur la grand-place, on entendit bientôt une musique rythmée de sistres et de cymbales. Du fond de l'horizon, le cortège apparut sur le lac. La barque royale était entourée de plusieurs embarcations en bois de cèdre dont les incrustations en or rutilaient au soleil. L'eau du lac miroitait sous cette multitude de barques aux voiles qui se gonflaient et battaient au vent léger. Les chants et les rires des courtisans couvraient les ahans des esclaves qui ramaient en cadence. Le cortège se rapprochait rapidement.

Tiyi et Néfrou étaient appuyés au bastingage de leur barque et observaient les autres embarcations. Bien qu'elle participât à la conversation, Tiyi avait les yeux perdus dans le vague. Elle cherchait sur la rive qui se rapprochait rapidement la silhouette de Ramsès, mais ne vit qu'une masse de gens.

La barque royale accosta avec douceur. Les esclaves ajustèrent la passerelle et se prosternèrent. Les musiciens débarquèrent les premiers, frappant leurs cymbales les unes contre les autres et soufflant dans leurs flûtes. Les tentures de la cabine s'écartèrent, laissant apparaître Pharaon donnant la main à l'épouse royale. Ils s'avancèrent majestueusement et franchirent la passerelle. Sur le débarcadère, des serviteurs jetaient devant eux des pétales de fleurs fraîchement cueillies.

L'esquif de Horemheb rejoignit les quais à son tour. Tiyi et Néfrou sautèrent sur le quai et se placèrent dans le cortège, derrière leurs parents. Tiyi observait attentivement le dieu Horus et son épouse.

Malgré son grand âge, Pharaon portait avec majesté la double couronne d'Égypte. Une barbe postiche, encerclée de fines chaînes d'or et de lapis-lazulis, prolongeait son menton. Il portait sur sa poitrine un pectoral représentant un vautour en vol dont les ailes serties de pierres précieuses renvoyaient vers la foule les reflets du soleil couchant. Il transpirait abondamment, malgré les éventails en plumes de queue de paon que les esclaves agitaient vivement devant lui.

La reine Tey avait à sa tête la couronne royale. Sa perruque ruisselait de filets d'or parsemés de perles. Un fourreau de fine toile écarlate laissait transparaître une robe blanche, serrée à la taille par une ceinture en or. C'était une belle femme et elle portait son âge avec dignité. Elle avait légué ses yeux couleur pervenche à sa fille Moutnedjémet qui, à son tour, en avait fait don à ses enfants.

Des deux côtés de l'allée qui avait été aménagée pour la circonstance, les soldats de Horemheb contenaient la foule. Le couple royal se déplaçait avec lenteur et se dirigeait vers l'estrade, recouverte d'un dais pour les protéger du soleil, sur laquelle les trônes étaient installés.

La cour et les courtisans suivaient dans un murmure continu de conversations. Des enfants assis sur les branches des arbres, les jambes pendantes, regardaient défiler les personnalités. Le peuple se prosterna au passage du dieu Horus et de la reine, mais sans grande conviction. Pharaon ressentit comme une gifle le souffle du désaveu. Son front se plissa sous le poids de la double couronne qui lui parut bien lourde…

Son épouse lui lança un regard inquiet de biais. Elle aussi ressentait la lourdeur de l'atmosphère. Une tendre complicité les avait unis toute leur vie, mais elle savait que l'immense dévouement de Pharaon pour son pays passerait avant toute ambition personnelle. Elle voyait bien que le peuple était tiraillé entre la pression des nobles et des prêtres d'Amon et sa fidélité envers Pharaon. Elle sentit son cœur se serrer au fond de sa poitrine. Elle ferma ses paupières fardées de poudre d'or et soulignées au khôl : «Ô Isis, que nous réserves-tu ? Protège mon époux bien-aimé ! » Lorsqu'elle ouvrit les yeux, ils étaient arrivés sous le baldaquin. Elle prit place sur son trône en arrangeant délicatement les plis de sa robe autour d'elle. Pharaon la regarda et lui sourit gentiment. Une vague de gratitude gonfla sa poitrine. En lui rendant son sourire, elle sentit ses larmes jaillir, mais les contint aussitôt.

Le gardien des insignes royaux s'avança en se prosternant. Il présenta à Horus la crosse, le fléau et le glaive d'Égypte. Pharaon les prit et les croisa devant sa poitrine, puis se tourna vers la foule. Il s'assit à son tour sur son trône et leva le bras :

— Que la Fête commence !

Les hérauts sonnèrent dans leur cor le début de la Fête. La foule, n'y tenant plus, lança un hurlement de joie qui traversa la place. Pharaon posa doucement sa main sur la main de la reine. Ils se regardèrent intensément. « Quoi qu'il advienne, nous sommes unis pour le meilleur et pour le pire », semblaient-ils dire.

Les danseurs, les charmeurs de serpents, les jongleurs et les amuseurs commencèrent leurs numéros. Cithares, harpes, luths et flûtes mêlaient leurs sons à celui des cymbales et des tambourins. La foule bigarrée et compacte se mouvait par vagues dans un va-et-vient incessant. Alors que la Fête battait son plein, ministres, nobles et courtisans venaient chacun à leur tour se courber devant leur roi et leur reine. Ils déposaient devant eux leurs offrandes. Horus et son épouse se détendirent tranquillement. Pourtant, Pharaon savait qu'il devait prendre une décision imminente. Il regardait défiler devant lui sa cour et ses sujets, sans être tout à fait présent. Il soupira doucement. Une envie lancinante de repos s'insinua en lui : « Je me fais vieux », pensait-il, « combien de temps encore me faudrat-il subir le poids de cette couronne ? Ne ferai-je pas mieux de me retirer tranquillement dans mes terres du delta, auprès de mon épouse bien-aimée pour les jours qui me restent à vivre ? Mon Égypte a besoin d'un Pharaon plus jeune et plus dynamique. Nos frontières sont en péril. Nos ennemis sont à nos portes et je n'ai plus la force de combattre. Horemheb, mon loyal et fidèle ami, époux de ma chère fille, saura bien porter la double couronne. Il est le chef incontesté de l'armée et attend impatiemment l'ordre d'attaquer. Sans doute devrais-je lui céder ma place avant qu'il ne soit trop tard… avant que nos ennemis ne passent nos frontières et nous envahissent. Mon peuple me maudira si cela devait arriver. Allons ! un peu de courage, Pharaon, oublie l'humiliation de ta défaite et pense à l'intérêt de ton pays ! »

Pharaon ferma les yeux et s'absorba dans ses réflexions intérieures. Soudain, une voix familière le tira de sa torpeur. Ouvrant les yeux, il vit sa fille Moutned-jémet et son gendre Horemheb qui lui faisaient face. À leurs côtés se tenaient leurs enfants : Tiyi, promesse de beauté et de grâce, et Néfrou, petit diable adorable. Son vieux cœur se réjouit et palpita. Il eut un grand sourire et souhaita la bienvenue à la famille de sa fille bien-aimée.

Sa fille aînée Néfertiti était morte depuis quelque temps déjà et Moutned-jémet était la seule qui lui restait. Il avait toujours eu une préférence pour elle. Il la contempla d'un œil complaisant. Avec l'âge, sa beauté ne s'était pas démentie, elle était encore plus belle. Il lui donna sa main à baiser. Elle accrocha ses lèvres aux doigts de son père :

— Majesté, permets à Tiyi et à Néfrou de te présenter leur respect, dit-elle de sa belle voix languissante.

Tiyi fit la révérence et Néfrou se prosterna comme le lui avait enseigné son père. Puis ils se tournèrent ensemble vers la reine et la saluèrent à son tour. Tey leur sourit avec ravissement :

— Mes chers enfants, qu'Isis vous protège et dirige vos pas sur la bonne voie, dit-elle avec grâce.

Sethamount arriva à son tour, accompagné de sa famille. Lorsqu'ils eurent fait leurs salutations à Pharaon et à sa reine, ils se dirigèrent vers Horemheb et les siens. Les deux familles réunies déambulèrent à travers la foule et assistèrent aux différents numéros qui se déroulaient sur la place.

Des jongleurs exécutaient des tours d'adresse. S'accompagnant de harpes, de luths, de sistres et de flûtes, des chanteurs s'égosillaient et des danseuses déployaient leur charme. Des prestidigitateurs faisaient disparaître et réapparaître des lapins et des pigeons. Des acrobates se contorsionnaient et sautaient à travers des cerceaux enflammés, alors que des dresseurs d'animaux faisaient caracoler leurs chevaux et que d'autres faisaient cabrioler leurs singes.

Des odeurs de viandes et de maïs grillés embaumaient l'air ; des marchands avaient allumé des feux de bois sur lesquels rôtissaient des volailles qui exhalaient un fumet alléchant. Ils s'arrêtèrent devant l'un deux et marchandèrent quelques morceaux d'ailes ou de cuisses. Les enfants les croquèrent à belles dents.

— Tu as bien fait ça, Horemheb. Permets-moi de te féliciter. Il est vraiment impossible, à quiconque le voudrait, de porter atteinte à Pharaon. On ne peut faire un pas dans cette foule sans qu'un soldat ne jaillisse soudainement.

— Je ne pouvais envisager le moindre faux pas, répondit Horemheb, quelque peu flatté. N'est-ce pas d'ailleurs mon rôle de protéger Pharaon ? En vérité, Pharaon est inattaquable. Qui pourrait attenter à sa divine personne ? Celui qui s'y aventurerait serait abattu sans autre forme de procès. C'est un ordre que j'ai donné.

— Mon frère, dit Sethamount avec ironie, si cela doit arriver, comme tu le dis, quelque châtiment que tu infliges ne saurait faire revenir Pharaon à la vie...

Horemheb s'immobilisa ; un doute s'insinua en lui, qu'il chassa aussitôt. Mais il ne put s'empêcher de plonger son regard dans celui de son ami. Avec gravité, il lui répondit :

— Mon frère, ne t'avise surtout pas de tenter l'impossible, car je te promets que le châtiment sera encore plus sévère pour l'entourage de Pharaon.

— Tu déraisonnes, Horemheb ! Que t'arrive-t-il ? Et qu'en est-il de notre amitié ? Tu oublies que nous sommes des frères. J'ai bien peur que ton attitude à mon égard ne nous éloigne. Il est vrai que nos opinions politiques divergent, mais cela ne devrait pas ternir notre amitié. Du moins, je l'espère…

Sur ces entrefaites, Ramsès apparut derrière un groupe de soldats. Il se prosterna devant Moutnedjémet et Horemheb. Néfrou se planta aussitôt devant sa sœur et le toisa de haut. Tiyi sentit monter en elle une bouffée de chaleur et son visage s'enflamma. Elle lui sourit timidement alors qu'il la saluait avec déférence.

— Tout va bien ? demanda Horemheb à Ramsès.

— Oui, seigneur. Nous tenons la situation bien en main. D'ailleurs le peuple ne pense qu'à s'amuser.

Jetant un dernier regard à Tiyi, il se prosterna à nouveau et retourna à ses occupations. Tiyi et Néfrou le suivirent des yeux jusqu'à ce qu'il disparaisse dans la foule.

La nuit était déjà avancée, mais n'apportait pas la fraîcheur tant espérée. Les énormes torches installées sur la grand-place et autour du lac répandaient une faible lueur le long de la berge. Dans le firmament étoilé, la clarté laiteuse de la pleine lune illuminait la surface du lac de millions d'étincelles scintillantes. Le bruit du cortège royal qui se retirait s'estompait dans l'obscurité. Pour la cour, les nobles et les courtisans, la Fête se terminait. Ils se retirèrent dans leur demeure un à un. Quelques fêtards se jetèrent à l'eau dans un clapotis rafraîchissant. Des éclats de rires et de voix fusèrent dans la nuit. Pour le peuple, la Fête continuait. De l'autre côté de la ville, là-bas, loin dans le désert, les animaux et les fauves dormaient paisiblement. Seuls les hyènes et les chacals rôdaient à la recherche de quelque charogne.

Sethamount ne tarda pas à retourner chez lui. Avec une lanterne, il traversa le jardin et se dirigea vers la réserve où ses congénères l'attendaient.

— Enfin, te voilà !

— Je ne pouvais faire autrement. J'étais avec Horemheb et sa famille. Cela devrait apaiser ses soupçons. Maintenant passons aux choses plus sérieuses. J'ai appris que la jeune princesse serait initiée dans deux jours. Puisqu'il nous a fallu renoncer à notre premier plan d'attaque, nous exécuterons le nouveau plan cette journée-là. Le troisième jour des festivités est celui où il y a le plus de monde dans les rues ; ce sera donc le moment idéal pour agir. Nous savons tous combien Horemheb aime sa fille. S'il lui arrivait un malheur, il en perdrait la raison… nous pourrons ainsi faire de lui ce que nous voudrons… Toi, Senmout, tu vas t'entendre avec quelques malfaiteurs pour déclencher une émeute. Ensuite, lorsque la foule sera bien excitée, il sera plus facile d'agir dans la cohue… Vous deux, vous vous tiendrez cachés, pas trop loin de Tiyi, et vous choisirez le moment propice pour faire votre boulot. Allez, je crois bien que cette fois-ci les choses iront comme nous l'espérons. Sachez, mes amis, que nous agissons ainsi pour sauver notre pays et que nous en serons tous récompensés d'une façon ou d'une autre. Vous pouvez aller maintenant, nous nous retrouve-rons lorsque tout sera terminé…

Une fois seul, Sethamount eut un sourire sardonique qui déforma son visage. Prenant sa lanterne, il retraversa le jardin dans la nuit étoilée. « À nous deux, Horemheb ! Je te tiens maintenant ! C'est moi, le neveu de Pharaon… C'est à moi que revient le trône d'Égypte ! »

9

LA PRÉSENTATION AU TEMPLE

Selon la coutume, les festivités de la Fête du Nil duraient trois jours. Le premier jour était celui où Pharaon et sa cour descendaient au cœur de la cité ; le deuxième était destiné au peuple et aux prêtres d'Amon. La population affluait alors vers le temple pour offrir ses dévotions aux dieux et faire des sacrifices. Le troisième jour était réservé aux mariages, aux présentations au temple et autres cérémonies.

Pour Tiyi, enfin, le grand jour était là ! Elle n'avait pas dormi de la nuit tant elle était excitée. Avant même que Râ ne sorte de ses limbes, elle était déjà levée. Dans la chambre aux tentures de jonc fermées, il faisait encore nuit. Les lampes à huile crépitaient, projetant des taches blafardes sur le dallage.

Tiyi était heureuse. Ramsès ne la fuyait plus. Ils avaient pris l'habitude de se promener dans le jardin, main dans la main. Ils bavardaient de choses et d'autres et apprenaient à se connaître. Moutnedjémet et Horemheb se réjouissaient de ces jeunes amours qui s'épanouissaient sous leurs yeux.

Avec un petit cri de joie au fond de sa gorge, Tiyi secoua Nefer qui dormait sur une natte d'osier dans un coin et ouvrit les rideaux. Aucune lueur ne pénétra dans la chambre ; seul le parfum entêtant du jasmin envahit la pièce. Dehors, dans le silence qui précédait le lever du jour, un vent léger faisait bruire les feuilles des arbres. Même les grillons et les crapauds s'étaient tus.

Nefer fit transporter dans la chambre une bassine d'eau tiède dans laquelle Tiyi se glissa. Lorsque sa jeune maîtresse fut bien installée, Nefer savonna sa belle chevelure aux herbes moussantes odoriférantes. Puis, elle l'enveloppa de fines toiles trempées dans des huiles parfumées à la giroflée et la laissa s'y reposer afin que sa peau s'en imprégnât. Toui, pris de panique à la vue de sa maîtresse ainsi bandée, poussa des cris aigus. Tiyi éclata de rire et le rassura avec des caresses.

Par la fenêtre ouverte, on entendit les oiseaux se réveiller. Leur chant emplit bientôt la chambre que l'ombre abandonnait avec douceur. L'aube envoya son haleine humide. Un coq chanta. Nefer et Tiyi saluèrent ensemble le jour naissant. Soudain Râ apparut, inondant la pièce de sa clarté rougeoyante.

Tiyi enfila un pagne, fit entrer les serviteurs de sa mère qui attendaient à la porte et leur offrit son beau visage à peindre. Assis devant le miroir qui faisait face à Tiyi, Toui les imitait en faisant des grimaces. Quand ils sortirent, Nefer aida sa maîtresse à s'habiller. Alors Toui sauta sur le lit en poussant des grognements de satisfaction.

Toute la maisonnée était en effervescence et résonnait d'une agitation peu commune. Râ dispensait déjà sa chaleur bienfaisante lorsque Tiyi fut prête à se présenter devant ses parents. Elle descendit les marches d'une allure altière.

Elle portait une couronne assortie à un pectoral qu'elle mettait pour la première fois et tenait dans ses mains un bouquet d'orchidées et de lys blancs ; sa robe de tissu argenté, parsemée de fils d'or, était recouverte d'une gaze transparente formant une traîne.

Ses yeux pervenche, que le khôl soulignait, brillaient de fierté. Le cœur de Horemheb se gonfla d'orgueil. Néfrou poussa un gloussement et voulut se précipiter vers sa sœur. Mais Moutnedjémet le retint fermement.

— Attention, Néfrou, dit-elle, retiens ton impétuosité ! La journée n'est pas propice aux catastrophes !...

Elle demanda à Séti d'enfermer les singes dans la cage d'airain. Puis elle sourit à sa fille et la prit par la main. Ils sortirent tous ensemble de la demeure et s'installèrent chacun dans une chaise porteuse ; le cortège s'ébranla, précédé des hérauts. En traversant le cœur de la cité, une agitation anormale les inquiéta. La foule des curieux se massait à leur passage pour tenter d'apercevoir, à travers les rideaux des chaises, les personnalités qu'on y transportait. Parmi eux, camouflés sous des habits du peuple, deux des amis de Sethamount suivaient la petite caravane. On sentait vibrer dans l'air une sorte d'hostilité. Les hérauts s'époumonaient pour disperser les gens et faire place au cortège. Curieuse, Tiyi poussa délicatement un rideau pour jeter un coup d'œil à la foule. À peine avait-elle avancé sa tête qu'elle ressentit la brûlure d'un regard sur elle. Elle se rejeta en arrière et replaça le rideau avec vivacité. Mais pas assez rapidement, cependant : elle avait pu, l'espace d'un instant, croiser des yeux sombres qui la fixaient. « Qu'est-ce encore ? » pensa-t-elle, sur le qui-vive. « Il se passe quelque chose, mais quoi donc ? Je sais maintenant, je suis certaine que c'est à moi que l'on en veut ! Que faire ? À qui me confier ? » Une peur incontrôlée s'empara d'elle. Mais son attention fut attirée par Horemheb qui sortait de son palanquin et qui haranguait la foule. Quand ils le reconnurent, les gens se prosternèrent aussitôt devant lui. Il marchait maintenant à l'avant du cortège, se frayant un passage jusqu'aux abords du temple. Ils traversèrent enfin l'allée de sphinx, à têtes de bélier, qui menait aux pylônes qui formaient la porte du temple. Dans le péristyle, ils retrouvèrent enfin la paix. Les prêtres, en habits d'apparat, s'avancèrent vers eux.

Le cœur en émoi, Tiyi les suivit jusqu'au lieu sacré où devait se dérouler la cérémonie et se plaça à côté des autres jeunes filles. L'assistance se tenait dans l'ombre des pilastres. Un petit vent venant du fleuve s'insinua entre les colonnades. Les bannières et les fanions claquèrent dans ce courant d'air inattendu.

Le rituel débuta. Le Grand Prêtre ouvrit le livre des louanges et psalmodia ses prières. Sa voix, emportée par le vent, se perdait dans les gigantesques colonnes.

Puis de jeunes prêtres agitèrent les encensoirs et des volutes de fumée s'élevèrent dans l'air et les enrobèrent. Le Grand Prêtre marmonnait toujours ses prières, qui se terminèrent par des incantations et des litanies. Chaque jeune fille récita sa promesse solennelle. Lorsque le tour de Tiyi arriva, elle fit la sienne d'une voix grave et chargée d'émotion. Quand elle eut terminé, les prêtres l'oignirent avec les huiles sacrées.

Le moment du sacrifice était arrivé. Deux officiants apparurent, tirant au bout d'une corde un jeune taureau mugissant de terreur. Ils le couchèrent et le ligotèrent sur la pierre du sacrifice. D'une main experte, l'un d'eux lui trancha la gorge avec un sabre. Le sang gicla, éclaboussant l'habit de l'officiant, et son odeur douceâtre se répandit dans l'atmosphère. La bête se débattit frénétiquement, cherchant son souffle. Puis dans un ultime sursaut, elle cessa de se débattre et expira. La cérémonie religieuse prit fin dans le silence et l'assistance se regroupa au cœur du péristyle pour les salutations d'usage.

Tiyi était recueillie et semblait loin de toute cette agitation. Les yeux perdus dans le vague, elle vivait profondément ce moment intense de sa jeune vie. Enfin, elle dit à son père :

— Père bien-aimé, voilà que ta fille entre dans sa vie de femme. En ce jour si important, mon désir le plus cher est que tu sois fier de moi et de mes accomplissements, aujourd'hui, demain et toujours.

— Qu'Amon te guide et consolide la terre sous tes pieds tout au long de ton existence, lui répondit-il, le regard noyé d'eau.

Puis Tiyi se tourna vers sa mère et sans un mot, se blottit dans ses bras.

Néfrou, jaloux de l'attention portée à sa sœur, commença de s'agiter et de gambader en jouant avec son inséparable bilboquet. Il se déroba peu à peu aux regards de l'assistance et disparut bientôt derrière les énormes colonnades qui soutenaient la voûte du temple.

Senmout se faufila dans les rues malfamées de la cité. Avant de traverser le quartier, il ôta ses sandales et marcha pieds nus dans les rues étroites et sales. Elles dégageaient une odeur d'immondices, amplifiée par la chaleur. Il colla contre son nez un linge imbibé d'essence de fleurs de lotus et marcha en regardant par terre afin de ne pas poser ses pieds dans la fange et la boue. Un rat s'engouffra dans le trou d'un mur. Il arriva enfin devant une porte contre laquelle il cogna bien fort. Curieux, les passants s'attroupèrent autour de lui. La porte s'ouvrit, laissant apparaître un géant. Son crâne dégarni sur un front plat à ras des yeux, il avait un nez busqué qui mangeait son visage. Son ventre proéminent, ses bras et ses jambes musclés lui donnaient une allure impressionnante. Il reconnut Senmout, lui sourit d'une bouche édentée et le laissa entrer en fermant la porte rageusement sur les badauds éberlués.

— Quel honneur ! dit-il d'une voix rocailleuse. Puis-je connaître le but de ta visite ?

— J'ai une mission pour toi. Ce n'est pas trop compliqué et tu seras largement récompensé…

— Combien ?

— Un bœuf, trois sacs de riz et cinq piécettes de cuivre…

— Que dois-je faire ?

Senmout lui expliqua en quelques mots la tâche à accomplir : provoquer une émeute dans la foule, s'emparer de la fille de Horemheb, que tout le monde connaissait, puis la cacher dans un endroit sûr jusqu'à nouvel ordre…

À force de courir, Néfrou avait dépassé les pylônes du temple. Il se retrouva dans la foule qui l'emporta dans son élan. Dans les rues de la ville, l'agitation se précisait. La population se dirigeait dans le même sens, vers le cœur de la cité. Déjà, un attroupement obstruait la grand-place.

Ballotté et bousculé, Néfrou voulut s'échapper du flot, mais la foule dense ne cédait pas. Elle l'entraînait dans sa marche aveugle. Curieux de tout, négligeant la plus élémentaire prudence, il suivit le mouvement sans s'alarmer.

Quelques altercations fusèrent, suivies d'âpres discussions. Néfrou ne comprenait pas très bien le sujet de la querelle, mais il crut entendre qu'il s'agissait de Pharaon, son grand-père bien-aimé. Il tendit l'oreille et son petit cœur s'effaroucha. Au loin, une rumeur inquiétante gonflait, une sorte de roulement de tambour battait dans les airs.

Se frayant un passage dans la mêlée, un groupe d'individus, portant des torches allumées, fendit la foule en la bousculant. Ils étaient menés par un chef de file qui aboyait des ordres et menaçait les gens de sa torche enflammée. Néfrou eut peur. Il chercha à s'esquiver, mais en vain. Il était maintenant arrivé sur la grand-place. Il se faufila parmi les gens, puis aboutit devant l'estrade sur laquelle le dais royal n'avait pas encore été enlevé. Le chef du groupe des truands s'y tenait, debout, et haranguait la foule. Mu par une mauvaise impulsion, il mit le feu aux tentures, aux bannières et aux fanions qui servaient d'ornements. Attisé par le vent qui venait du lac, le feu ne tarda pas à se répandre. La foule, soudain prise de panique, s'éparpilla dans tous les sens. Des cris de peur fusèrent des quatre coins de la place. Les gens se battaient pour fuir l'incendie.

Dans l'enceinte du temple, personne ne s'était encore aperçu de la disparition de Néfrou. Horemheb vit soudain Ramsès qui courait vers lui. Ce dernier se prosterna et s'exprima avec volubilité :

— Seigneur, le cœur de la cité est en ébullition. Une bande d'agitateurs tente de créer une émeute. Ils y sont presque parvenus. Le feu fait rage dans la ville et la foule écrase tout sur son passage.

Le sang de Horemheb ne fit qu'un tour. Il regarda son épouse qui l'observait de loin. Leurs regards se croisèrent et les yeux de Moutnedjémet s'agrandirent démesurément. Elle s'avança vers lui :

— C'est de père qu'il s'agit, n'est-ce pas ? l'interrogea-t-elle en connaissant déjà la réponse.

Il acquiesça d'un petit signe de la tête, lui expliqua rapidement la situation puis quitta les lieux. Il sauta sur le dos de son cheval, que Ramsès avait amené pour la circonstance. Ensemble, ils empruntèrent des rues moins fréquentées et galopèrent jusqu'à la grand-place.

Lorsque Horemheb, d'un œil expert, se rendit compte de la situation, il rebroussa chemin et se dirigea à toute allure vers la caserne. Il jeta les rênes de son cheval à un soldat et, accompagné de son état-major qui l'attendait déjà, lui et Ramsès entrèrent dans leur quartier général. D'une voix ferme et sans appel, il donna ses ordres à ses généraux qui partirent aussitôt pour les exécuter.

À cheval, fouet en main, la garde personnelle de Horemheb se déploya dans les rues de la cité. Les soldats suivaient, armés de boucliers et de bâtons, à l'assaut de la ville en flammes…

10

ÉTAT DE PANIQUE

Sans attendre, Horemheb enfourcha son étalon et courut au palais situé hors des murs de la cité. Après avoir participé au premier jour des festivités, Pharaon et sa reine s'étaient retirés dans leur palais, de l'autre côté du fleuve. Les deux sentinelles qui gardaient la grande porte le reconnurent et le laissèrent passer. Il traversa d'un pas précipité la salle vide où les fêtes se déroulaient habituellement. Il emprunta les marches qui conduisaient vers la cour extérieure. Les branches des palmiers ondoyaient au vent du large. Il observa d'un regard pensif et sombre les drapeaux qui claquaient. Ici, tout était si calme qu'il semblait difficile d'imaginer la frénétique agitation qui s'était emparée du peuple et qui grondait de l'autre côté de la rive. Il gagna les couloirs qui menaient aux appartements de Pharaon et, parvenu devant le soldat qui en gardait l'accès, il lui dit avec autorité :

— Demande au dieu Horus de me recevoir. Des événements graves ont éclaté au cœur de la cité. Il me faut l'en aviser immédiatement.

Le soldat disparut, laissant Horemheb dans l'impatience de l'attente. Il réapparut peu après :

— Sa Majesté t'attend, dit le soldat.

Horemheb traversa la salle du trône où Pharaon présidait habituellement aux audiences, puis, franchissant un autre couloir, il pénétra enfin dans la chambre où l'on était en train de le vêtir. Il se prosterna et attendit que Pharaon lui ordonnât de parler. Un scribe était assis en tailleur, prêt à consigner sur le papyrus le contenu de l'entretien.

— Bonjour, Horemheb, dit Pharaon avec gentillesse. Quel est le vent qui t'amène alors que Râ n'est qu'au quart de sa course dans le ciel ? As-tu quelque nouvelle d'importance à m'annoncer ?

— Majesté, répondit Horemheb en s'inclinant, le peuple est en effervescence. Alors que tout se déroulait dans le calme depuis la Fête du Nil, ce matin, le peuple a été pris de folie. Il s'est rué dans les rues de la cité, qui est actuellement la proie des flammes. J'ai envoyé mon armée sur les lieux pour contrôler la situation et je suis venu aussitôt t'en rendre compte.

Pharaon sentit sa gorge se nouer. Son vieux cœur se tordit dans sa poitrine et il poussa un râle. Sentant la terre se dérober sous ses pieds, il s'effondra lourdement sur une chaise. Son majordome se précipita vers lui et lui fit respirer des sels. Le dieu Horus reprit doucement ses sens. Il resta cependant immobile, les yeux fixés sur un coin du plafond. Personne ne bougeait autour de lui. Horemheb ne savait plus comment agir et attendit que Pharaon s'exprime. Mais rien ne vint. Alors doucement, sans un bruit, Pharaon glissa de sa chaise et son corps s'échoua sur les dalles du plancher.

Le dieu Horus gisait sur le dos, dans son lit royal. On l'avait transporté avec précaution et, chaque fois qu'il respirait, un râle profond s'échappait de sa poitrine.

Ses yeux, tournés vers l'ouest, regardaient déjà les portes de l'autre monde. Mais Pharaon ne pouvait quitter ainsi le royaume des vivants. Encore lucide, il savait qu'il lui restait une chose importante à accomplir, avant que son corps ne fût livré aux mains des embaumeurs. Il fit mander son scribe et lui dicta d'une voix hachée le décret qui ferait de Horemheb son successeur légal sur le trône d'Égypte. Lorsqu'il eut terminé, il poussa un soupir de soulagement : maintenant, il pouvait se préparer à rencontrer en toute quiétude Osiris. Il fit quérir à son chevet la reine Tey, son épouse bien-aimée, afin qu'elle l'accompagne dans son cheminement vers la pesée du cœur[12].

Après le départ de son époux pour la caserne, Moutnedjémet prit Tiyi par la main et l'avertit :

— Nous devons sans plus tarder retourner à la maison. Les choses se compliquent.

Elle expliqua brièvement la situation à Tiyi, tout en cherchant Néfrou du regard. Mais elle ne le vit nulle part. Elle l'appela sans obtenir de réponse. Tiyi et Moutnedjémet se regardèrent soudain, affolées. Tiyi se mit à courir entre les colonnades du temple en appelant Néfrou à tue-tête. Mais seul le bruit du vent qui se faufilait à travers les gigantesques colonnes lui répondit. Elle revint vers sa mère et s'écrasa en larmes dans ses bras. Bien qu'elle fût elle aussi en proie à la panique, Moutnedjémet se raidit :

— Ô Amon, s'insurgea-t-elle, aurais-tu décidé de me faire souffrir pour éprouver ma résistance ?

Se ressaisissant, elle donna à ses hérauts l'ordre de retourner à la maison. Ils prirent la voie du fleuve afin d'éviter de passer par le cœur de la cité. Jamais promenade sur l'eau ne lui parut aussi longue. Elle trépignait d'impatience et cognait le manche de son fouet sur la rambarde de l'embarcation. À ses côtés, Tiyi sanglotait à chaudes larmes :

— Néfrou, Néfrou, se lamentait-elle, désespérée, pourquoi me fais-tu cela aujourd'hui ? Petit frère bien-aimé, la sagesse entrera-t-elle un jour dans ta tête ? Ô Amon, fais qu'il ne lui soit rien arrivé, car tu sais bien que j'en mourrais !

— Garde ton calme, Tiyi, la réprimanda sa mère avec humeur. Nous avons besoin de tout notre sang-froid pour retrouver Néfrou.

L'embarcation n'avait pas encore accosté que Moutnedjémet avait déjà sauté sur le débarcadère. Séti les attendait :

— Le seigneur Horemheb est-il là ? lui demanda-t-elle.

— Non, vénérée maîtresse. Il est actuellement au palais. Il a envoyé un serviteur pour te dire que Pharaon se meurt...

Moutnedjémet se figea. « Il ne faut pas que je me laisse distraire », pensa-t-elle, en reprenant son élan.

— Envoie immédiatement quelqu'un au palais pour informer le seigneur Horemheb que nous avons perdu Néfrou. Nous l'avons cherché partout dans le temple, mais il n'y était pas. Il doit être quelque part au cœur de la cité. Horemheb doit se dépêcher d'envoyer ses hommes à sa recherche, avant qu'il ne lui arrive un malheur... Vite ! criat-elle presque, en faisant claquer son fouet. Puis, se tournant vers Tiyi, elle continua :

— Nous n'avons plus qu'à attendre !...

Mais Tiyi avait déjà disparu dans la demeure. Dès qu'elle avait mis le pied sur l'embarcadère, elle s'était précipitée à la recherche de Hati. En passant par la grande salle, les ouistitis dans leur cage se mirent à couiner en sautillant. Mais Tiyi ne leur prêta aucune attention. Lorsqu'elle trouva Hati, elle lui ordonna :

— Allez ! Suis-moi, nous partons à la recherche de Néfrou !

Tiyi sortit de la maison en courant, Hati sur ses traces, à moitié ahuri, ne comprenant pas ce qui se passait. La jeune femme courut ainsi par les rues enfiévrées jusqu'à la grand-place. De temps à autre, elle se protégeait en se cachant dans un portail. Les gens se massaient par groupes, se dispersaient, sillonnant les rues et hurlant des imprécations et des menaces. Mais rien ne pouvait entamer la détermination de Tiyi. Au coin d'une rue, elle revit l'homme au regard sombre qui la dévisageait d'un air menaçant. Son cœur s'emporta. Elle crut reconnaître l'inconnu, mais elle n'avait vraiment pas le temps de s'y attarder. Seul lui importait de retrouver Néfrou...

Une fois de plus, Kafer courut vers la demeure de Sethamount. Comme la dernière fois, le gardien le laissa passer. Lorsqu'il se trouva en face du neveu de Pharaon, il l'informa de la situation :

— Seigneur, les choses se compliquent. Le petit Néfrou s'est enfui et s'est perdu parmi les émeutiers. La grande princesse et sa fille sont immédiatement retournées dans leur demeure. Je ne vois pas comment nous pourrions enlever la jeune princesse dans les murs de sa résidence !

— Tu m'agaces, Kafer... Tu m'agaces royalement ! Combien de fois vais-je te dire que le penseur, c'est moi ! Tu n'as pas à me faire des recommandations, ni à te poser des questions : tu te contentes de me tenir au courant des faits, rien de plus... C'est moi qui prends les décisions !

Il lui tourna le dos et se dirigea vers la fenêtre. Son regard se porta vers le lac : « Par Amon ! Cet animal de Horemheb est protégé par les dieux ! Comment faire pour l'avoir au détour du chemin ? Chaque fois que j'échafaude un plan, il m'arrive une malchance. Il faudra bien pourtant que j'aie sa peau à un moment ou à un autre ! »

Soudain, il entendit du bruit du côté du jardin ; il se pencha à sa fenêtre et vit Senmout qui s'exprimait avec vivacité avec son intendant.

— Laisse-le entrer, lui ordonna-t-il.

— Eh bien, que se passe-t-il maintenant ? demanda-t-il à son collègue quand il se trouva devant lui. Kafer m'a appris que la jeune princesse est rentrée chez elle et qu'il n'y a plus moyen de l'enlever ?

— Au contraire, Sethamount. C'est bien pour cela que je suis ici… La jeune princesse vient de ressortir de chez elle, accompagnée d'un seul serviteur. C'est maintenant ou jamais qu'il faut agir.

— Mais alors, que fais-tu ici à me raconter des sornettes ? Va accomplir ce que tu as à faire ! s'écria Sethamount hors de lui. Et toi aussi, Kafer, tu peux disposer…

Une fois ses acolytes sortis, Sethamount appela son intendant. Il lui dit, en hurlant avec rage :

— Tu vas aller immédiatement sur la grand-place. Peu importe comment tu feras, mais tu me ramèneras ici la fille de Horemheb, morte ou vive…

En sortant de la demeure de Sethamount, Kafer s'arrêta au bord du lac : « Je pense que les choses se gâtent du côté de Sethamount. Il ne contrôle plus très bien la situation, il n'y a donc plus rien à attendre de lui. Horemheb ne va pas tarder à découvrir ses manigances. Réfléchissons ! Je crois bien que la meilleure façon de me protéger, et surtout de sauver ma peau, serait de me rallier au camp de Horemheb. Au moins je pourrais me racheter. Mais comment faire ? À qui dois-je parler ? »

Les sourcils froncés, il réfléchit intensément. Bientôt, son visage s'éclaira. Fébrile, il se dépêcha de courir vers sa nouvelle destination.

Arrivée enfin sur la grand-place en flammes, Tiyi comprit combien il lui serait difficile de retrouver son jeune frère. Elle se plaça derrière Hati, le poussa devant elle et ils s'enfoncèrent dans la foule en délire. Ses yeux fouillaient partout, au-dessus des têtes ou parmi les jambes. Elle marcha ainsi longtemps, suant et poussant le serviteur de son jeune frère. Lorsque le désespoir la gagnait, elle s'insufflait un regain d'énergie et repartait de plus belle. Râ avait presque achevé sa course dans le ciel. Bientôt, il irait se cacher pour la nuit derrière les eaux dormantes du lac. La lueur rougeâtre du crépuscule se reflétait sur les façades des maisons.

Tiyi commençait à se décourager. Ses jambes ne la soutenaient plus. Jusqu'à présent elle avait réussi à garder un semblant de calme, mais maintenant, les larmes coulaient sur son visage, laissant sur ses joues des sillons noirs de khôl. Hati ne disait mot et suivait sa jeune maîtresse, le désespoir au cœur. Au détour d'une rue moins agitée, épuisée, elle s'adossa à un mur. S'adressant à son serviteur, elle dit :

— Je suis trop fatiguée pour continuer. Je ne sais plus quoi faire…

Comme elle n'obtenait pas de réponse, elle se retourna et chercha Hati ; le serviteur n'était plus là. Au moment où elle allait revenir sur ses pas, elle se sentit happer dans l'embrasure d'une porte et une main bâillonna sa bouche, l'empêchant de crier. D'abord étonnée, puis effrayée, elle tenta de se dégager des bras qui l'enserraient. Elle se débattit, mais elle n'avait plus assez de force. Une ombre voila sa vue, mais avant de sombrer dans l'inconscience, elle aperçut un regard sombre qui la transperçait.

Akhnamon était penché sur ses rosiers. Dans ses moments de détente, il aimait s'occuper de ses fleurs. Il se targuait d'avoir la plus belle roseraie de la cité. Alors qu'il avait le nez dans une rose, il entendit des pas précipités dans l'allée qui menait à son parterre de fleurs. Il vit apparaître Kafer. Étonné, il se redressa et le regarda s'avancer vers lui.

— Eh bien ! Que se passe-t-il, Kafer ? Et que me vaut cette visite impromptue ?

— Ce que j'ai à te dire, Akhnamon, est très grave… Il faut agir vite…

— Mais quoi donc ? Dépêche-toi de parler…

Alors Kafer débita d'une traite le complot que Sethamount avait organisé. Au fur et à mesure qu'il avançait dans son récit, Akhnamon sentit monter en lui un ressentiment implacable envers son ami de toujours.

— Vite ! dit-il, nous n'avons plus une minute à perdre...

Campé sur son cheval, Horemheb balayait la foule du regard. En le reconnaissant, les gens s'écartaient pour le laisser passer.

Dès qu'il avait reçu l'avertissement de son épouse, il avait quitté le chevet de Pharaon. À la caserne, il avait crié ses ordres et sa garde personnelle, divisée par groupes de trois soldats, s'était dispersée dans la ville à la recherche de Néfrou.

Il leva la tête au ciel pour évaluer le temps. Râ avait entamé sa descente vers la terre. Cela faisait donc assez longtemps qu'il fouillait les rues de la cité sans résultat. Il commençait à s'inquiéter sérieusement. Tout à coup, son regard se figea. Dans le creux d'une porte, il vit son ami Akhnamon à côté du serviteur de son fils, parlant et gesticulant avec fièvre. Horemheb poussa son cheval et s'approcha d'eux :

— Que se passe-t-il ici ? demanda-t-il, d'une voix grave mêlée d'inquiétude.

Il vit alors que Hati avait une blessure béante et dégoulinante de sang à la tête. Horemheb le regarda d'un œil sévère : « Encore lui, pensa-t-il, sans se douter de la gravité de la situation, je crois que je vais sévir sérieusement… » Cependant il garda son calme et attendit patiemment une réponse. C'est Hati qui la lui donna.

— Seigneur, dit-il en se prosternant, la jeune maîtresse m'a demandé de la suivre dans la cité à la recherche de mon maître.

— Et toi, que t'est-il arrivé pour être ainsi barbouillé de sang ?

— Je ne sais pas, seigneur. Quelqu'un m'a asséné un coup de bâton sur la tête. J'ai perdu connaissance, mais avant, j'ai bien vu qu'ils avaient enlevé la jeune princesse…

— Qu'est-ce que c'est que cette histoire ? s'écria Horemheb hors de lui, prêt à frapper le serviteur.

— Horemheb ! l'interrompit Akhnamon en esquissant un geste de la main, ton serviteur dit la vérité. Je suis ici parce que Kafer est venu m'avertir du complot qui se tramait contre toi et ta petite Tiyi. J'ai couru à la caserne pour te retrouver, mais tu n'y étais pas. J'ai donc décidé de partir seul à la recherche de Tiyi. Chemin faisant, j'ai rencontré Ramsès que j'ai mis au courant de la situation. Ensemble, nous avons sillonné les rues de la ville. Je dois te dire que la chance nous a guidés. Tu es protégé des dieux, Horemheb ! Ainsi que ta famille ! Car nous sommes arrivés juste à temps pour apercevoir Tiyi emportée par des malfaiteurs. Comme Ramsès et moi n'avions aucune chance de nous battre contre eux, j'ai demandé à Ramsès de les suivre discrètement pour savoir où ils conduisaient la petite et moi, de mon côté, j'ai décidé de repartir à ta recherche. Mais te voilà ! Il s'agit d'attendre maintenant que Ramsès vienne nous informer du lieu où ils l'ont cachée. Laisse-moi te dire, continua-t-il du même souffle, que Sethamount avait l'intention de la séquestrer pour te faire chanter. Je n'aurais jamais cru qu'il irait jusque-là pour assouvir son ambition… De toute façon, il ne perd rien pour attendre !…

Horemheb blêmissait. Au fur et à mesure que son ami Akhnamon s'exprimait, sa colère se transformait. D'abord incrédule, la vérité s'imposa enfin à lui. Il sentit le désarroi l'envahir devant la trahison de Sethamount. Une souffrance inattendue étreignit son cœur. Puis la colère le reprit, une colère froide et dévastatrice. S'il arrivait la moindre chose à Tiyi, il se sentait capable d'anéantir le coupable, sans aucune pitié, fût-il son ami…

11

PETIT HÉROS !

En voyant les flammes qui dévoraient tout, Néfrou jugea qu'il valait mieux s'éloigner de ce lieu dangereux. Bousculé, frappé par la foule déchaînée, il tombait quelquefois, mais se relevait aussitôt pour ne pas se laisser piétiner. C'est alors qu'il vit, couchée par terre, une petite fille qui pleurait, terrorisée. Il se précipita vers elle et, de toutes ses forces, il la releva. Bousculant la foule à son tour, il tenta de sortir de la cohue, tout en la protégeant. La petite fille se laissait guider, effrayée mais docile. Ses pleurs se calmèrent peu à peu. Ils se frayèrent un chemin et se retrouvèrent sur les berges du fleuve. Les gens se jetaient à l'eau pour éviter le feu et la bousculade. Ils marchèrent le long de la rive pour s'éloigner du centre de l'agitation.

Un peu plus loin, Néfrou remarqua une barque à rames, mollement attachée à un pieu. Il fit monter l'enfant et donna un coup sec sur le sable avec son pied. L'esquif se détacha tranquillement et se mit à voguer. Il y grimpa à son tour. C'est lorsqu'ils furent à une bonne distance de la rive que Néfrou put enfin observer la petite fille.

Ses yeux noirs immenses dévoraient son visage ; sa bouche aux lèvres roses était boudeuse et son nez aquilin lui donnait un air rapace. Une longue tresse noire tombait du milieu de sa tête jusqu'au creux de son dos, qui tressautait encore de peur. Elle avait sur sa joue gauche et sur ses bras des éraflures et des ecchymoses. Assise bien droite au centre de la barque, elle regardait Néfrou de son regard velouté. Ses pleurs s'étaient taris, mais quelques larmes s'accrochaient encore à ses longs cils. Elle voulait lui faire comprendre qu'elle n'avait plus peur et qu'elle faisait maintenant confiance à son nouvel ami.

Tout à coup, elle se mit à parler sans s'arrêter :

— J'ai perdu ma mère au milieu des gens. On se tenait par la main et on nous a arrachées l'une de l'autre. J'ai essayé de la rejoindre, mais je me suis perdue dans la foule. Et ma mère doit maintenant être très inquiète. Elle doit sûrement me chercher partout. Il faut la retrouver au plus vite… qu'elle sache que je vais bien… que tu m'accompagnes à la maison… Il faut que je la retrouve tout de suite, pour la rassurer.

Sa voix fluette trahissait l'urgence de la situation et les larmes affluaient à ses yeux.

— Comment t'appelles-tu ? demanda Néfrou sans se laisser désarçonner.

— Rana, fille de Kia…

— Bien, Rana ! Nous allons d'abord chez mes parents à moi. Ensuite, ne t'en fais pas, ils sauront quoi faire.

Sur ce, il se mit à ramer de toute la force de ses jeunes bras, en direction ouest, vers sa demeure.

Les ouistitis sautillaient et criaient furieusement dans leur cage. Jamais ils n'avaient été enfermés aussi longtemps. Énervée par le bruit infernal de leurs couinements, Moutnedjémet ordonna à Séti de mettre la cage dans le jardin, le plus loin possible, pour ne pas les entendre. Elle faisait les cent pas entre la grande salle de la demeure et l'embarcadère. Quand Séti l'informa que la jeune maîtresse était sortie avec Hati à la recherche du jeune seigneur, elle entra dans une rage folle. Une fois calmée, l'inquiétude la tenailla : « Je panique, pensait-elle, je crois bien que c'est la première fois de ma vie... Mais, je panique ! » Ne sachant plus trop bien ce qu'elle faisait, elle resta plantée sur le quai et attendit : « Mes enfants sont perdus dans cette foule démente. Horemheb ne les a pas encore trouvés, car il m'en aurait informée. Voilà que Râ est arrivé presque au bout de sa course et je suis toujours sans nouvelles ! Que faire ? Ô Amon ! Que faire ? Je dois rester ici à attendre ! Je n'ai pas de choix. Je ne peux qu'attendre ! Ô Amon, pourquoi t'acharnes-tu sur moi ? As-tu fini de m'éprouver ? Que dois-je faire pour calmer ton courroux ? »

Puis elle se rappela soudain ce que Séti lui avait annoncé à son arrivée à

la maison : « Et mon père qui se meurt !
Ô père ! Majesté, ne t'en va pas tout de
suite, ce n'est pas le moment ! Je ne peux
même pas être à tes côtés ! Je t'en prie,
attends ! » Elle se tordait les mains en
regardant au loin. Tout à coup, elle se
figea et fixa un point à l'horizon. Sur le
lac scintillant, nimbé des couleurs
orangées du crépuscule, un point noir se
détachait. Il progressait lentement vers la
demeure. Moutnedjémet fronça les yeux
pour mieux voir. Son cœur de mère se
mit à palpiter. Une petite barque se
dirigeait vers le quai. Deux petites têtes
commençaient à se dessiner au loin.
Alors la frénésie s'empara d'elle. Elle
appela Séti, qui accourut aussitôt :

— Dépêche-toi, va à la rencontre de
cette barque et ramène-la au plus vite,
s'écria-t-elle.

Peu de temps après, les deux barques
accostèrent. Néfrou sauta sur le débarcadère et se jeta dans les bras de sa mère,
qui le serra presque à l'étouffer :

— Enfin, petit monstre, te voilà sain et
sauf !… Sais-tu seulement tout ce que ton
absence a provoqué ici ! Tu nous as fait

mourir de peur. Tu mériterais une bonne correction…

— Je te demande pardon, mère bien-aimée, mais ce n'était pas tout à fait de ma faute. Je n'avais pas l'intention de trop m'éloigner. J'ai été emporté par la foule. Je t'assure que j'ai vraiment cherché à revenir, mais… Regarde ! J'ai amené Rana avec moi…

Moutnedjémet resta perplexe, mais n'en montra rien, trop heureuse de ce dénouement inattendu. Se tournant vers Séti qui attachait les barques au quai, elle dit d'un ton plus calme :

— Fais préparer de la nourriture pour ces enfants. Je pense qu'ils doivent avoir très faim. Ensuite, qu'on les lave, qu'on les soigne et qu'on les prépare pour la nuit. Nous reparlerons de tout cela plus tard.

Tenant Néfrou d'une main et Rana de l'autre, elle traversa les allées du jardin vers la demeure. Néfrou se mit alors à raconter, d'une seule traite, sa mésaventure et sa rencontre avec Rana :

— Il faut retrouver Kia, la mère de Rana, tout de suite, car elle doit être très inquiète.

Moutnedjémet, qui venait de vivre la même inquiétude, comprit bien l'urgence de la situation. Après avoir demandé à la petite fille où sa mère habitait, elle envoya Séti à sa recherche :

— Tu la ramèneras ici dès que tu la retrouveras. Et surtout, n'oublie pas de la rassurer sur le sort de sa fille.

Elle confia les enfants aux serviteurs et recommença à attendre le retour de son époux et de sa fille.

Horemheb renvoya Hati à la maison, en lui demandant d'informer Moutnedjémet des événements. Puis, avec Akhnamon, il se rendit à la caserne pour y attendre Ramsès. Il faisait les cent pas, agité, la tête pleine d'idées de vengeance.

Les pas précipités de Ramsès résonnèrent dans la cour. Horemheb sortit à sa rencontre. Leurs yeux se rencontrèrent et sans qu'un seul mot ne fût échangé, Horemheb comprit que Ramsès savait exactement où se trouvait Tiyi.

— Pas très loin, précisa-t-il pourtant.

Horemheb regroupa les soldats les plus aguerris de sa garde. Ils marchaient d'un pas rapide et sûr en suivant Ramsès, qui leur montrait le chemin. Ces militaires, protégés par des boucliers et portant matraque, avaient appris à se battre sans peur. Ils ne feraient qu'une bouchée de ces quelques malfaiteurs.

Ils arrivèrent dans un quartier populeux qu'ils traversèrent à toute allure. Puis ils se retrouvèrent dans un champ isolé, entouré de futaies. De loin, Ramsès désigna une baraque à Horemheb. Celui-ci s'arrêta, ordonna à ses soldats de se déployer en silence et sans se faire voir autour de la cabane. Horemheb s'avança lentement sans faire de bruit. Complices, les oiseaux continuèrent de chanter. Le bruissement du vent dans les arbres et le piaillement des oiseaux couvrirent le bruit de ses pas dans les herbes sèches. Soudain, d'un coup d'épaule bien asséné, Horemheb défonça la porte. Surpris, les malfaiteurs n'eurent pas le temps de réagir, et les soldats leur mirent la main au collet.

Horemheb se précipita dans une autre pièce contiguë. Tiyi gisait sur un lit, les mains attachées et la bouche bâillonnée. Horemheb se dépêcha de la libérer. Elle voulut tout lui raconter, mais encore transie de peur, aucun son ne sortit de sa bouche.

Sans dire un mot et contenant sa colère, Horemheb prit sa fille dans ses bras et lui caressa les cheveux pour la calmer. Elle tremblait de tous ses membres. Mais dans les bras de son père, rassurée, elle commença à se calmer. Il la souleva doucement et ils quittèrent ce lieu sordide. Se tournant vers Akhnamon, qui ne l'avait pas quitté d'une semelle, il lui dit :

— Bien ! Nous allons nous occuper de ces malfaiteurs quand nous en aurons terminé avec toutes ces folies ! Pour l'instant, qu'on les jette en prison. Et puis, mon frère, je te demanderai d'aller à la caserne. J'ai envoyé quelques soldats à la recherche de mon fils qu'on ne retrouve plus. Dès que tu auras des nouvelles, viens m'en informer à la maison. Je ramène Tiyi.

Ils se séparèrent. Aux abords de la cité, Horemheb retrouva son cheval. Il plaça Tiyi délicatement sur le dos de sa monture et grimpa derrière elle. Ils se dirigèrent ensemble vers leur demeure.

Les yeux fermés, Tiyi appuyait sa tête contre l'épaule de son père. Dans un souffle, elle lui demanda :

— Père, a-t-on retrouvé Néfrou ?

— Pas au moment où l'on se parle, à moins qu'il n'y ait eu d'autres événements depuis que j'ai quitté le palais...

— Le palais ? qu'es-tu allé faire au palais ?

— Eh bien ! Je suis allé informer Pharaon de ce qui se passait dans la cité. La nouvelle l'a tellement affecté, qu'il s'est senti mal. J'ignore s'il va mieux, car juste à cet instant Séti est venu me prévenir de la disparition de Néfrou. Je suis donc parti en vitesse à la caserne pour envoyer ma garde personnelle à sa recherche. Moi-même, je le recherchais lorsque je suis tombé sur Akhnamon, qui m'a appris ton enlèvement...

Il se tut, préoccupé par la trahison de Sethamount.

— La leçon est rude, ma fille, le fiel dur à avaler... J'ai été trahi par mon meilleur ami... L'enseignement, semble-t-il, ne se fait pas sans souffrance. Et maintenant, il me faudra appliquer la loi de Maât, la déesse de la Justice et imposer une punition à celui qui fut mon meilleur ami…

Il ferma les yeux et serra les mâchoires : « Ô Maât, aide-moi et guide-moi afin que mes décisions soient équitables envers le riche comme le pauvre, envers l'inconnu comme envers l'ami ! »

Tiyi se laissa bercer par la cadence du cheval et s'appuya un peu plus lourdement sur la poitrine de son père. Maintenant qu'il se chargeait de retrouver Néfrou, elle pouvait se reposer.

Bien que Néfrou soit sorti sain et sauf de sa mésaventure, Moutnedjémet restait angoissée. Hati était revenu seul de la cité, ensanglanté, et lui avait raconté l'enlèvement de sa fille. Moutnedjémet n'était plus que meurtrissure, tout son corps lui faisait mal. Elle arpentait d'un pas fébrile la pelouse qui bordait la façade de la demeure. L'attente était insupportable. Pour se calmer, elle essayait de se convaincre que Horemheb avait la situation bien en main, qu'il avait réussi à retrouver Tiyi et qu'ils s'acheminaient vers la maison. Comme pour lui donner raison, elle entendit les sabots du cheval de Horemheb résonner dans la rue. Elle se précipita au portail de la demeure.

Tiyi sauta la première de la monture. Avant même qu'elle ne s'exprimât, Moutnedjémet lui dit, d'un ton sévère :

— Tiyi, comment penses-tu ? Ne suffisait-il pas d'un seul ? A-t-il fallu que tu accroisses mon inquiétude par cette idée folle d'aller à la recherche de ton frère ? Vois, la suite des événements et ce que tu as provoqué à cause de ton irresponsabilité…

— Mère…

— Non ! Je ne veux rien entendre ! Va retrouver ton frère dans les cuisines. Il est en train de se nourrir. Pour l'instant, tu feras comme lui. Nous nous expliquerons plus tard !…

Malgré une grande lassitude qui s'était emparée d'elle, Tiyi, enfin rassurée par le retour inopiné de Néfrou, courut voir son petit frère. Ce n'est qu'à ce moment-là qu'elle sentit la faim la tirailler. Toujours un peu tremblante, elle s'installa pour manger avec son frère et Rana. Elle observait la petite fille du coin de l'œil sans arrêt, alors que Néfrou recommençait à raconter sa mésaventure. Lorsqu'il eut terminé, Tiyi eut un mouvement d'humeur :

— Petit numéro pour la famille, petit héros pour les autres, dit-elle en haussant les épaules avec dédain.

— Et toi, l'aventurière ! Tu peux bien parler… Tu nous a fait frémir de peur…

Alors qu'ils argumentaient, heureux de se retrouver, Rana, impressionnée, ne disait pas un mot. Fille du peuple, elle se laissait faire sans même essayer de comprendre. Une seule pensée la rassérénait : sa mère serait bientôt là.

Horemheb prit tendrement son épouse dans ses bras. C'est alors qu'elle flancha. Il fut obligé de la soutenir pour entrer dans la demeure.

— J'ai été bien dure avec Tiyi, s'excusa-t-elle à son époux.

— C'est une réaction bien normale, lui répondit-il compréhensif. N'oublie pas toutes les peurs que tu as vécues aujourd'hui. Je pense que cela a été plus fort que toi. Mais ne t'inquiète pas, Tiyi le comprendra aussi.

Lorsque les enfants furent couchés et que la maison retrouva son calme habituel, Horemheb et Moutnedjémet s'en allèrent au palais.

12

« Horus est en fête »

Le temps des moissons battait son plein. Une bonne partie de la récolte était déjà engrangée. La chaleur toujours présente était cependant traversée par de petites brises rafraîchissantes qui annonçaient des temps plus frais.

Pharaon avait livré son âme à Osiris. Les embaumeurs avaient débarrassé son corps de ses viscères et l'avaient plongé dans du natron[13] pendant plusieurs jours. Puis, ils l'avaient fait macérer dans des huiles sacrées et enveloppé dans des bandelettes de fine toile. Ils déposèrent sa momie dans un sarcophage en or, peint à son effigie, les yeux ouverts regardant l'autre monde, portant croisés sur sa poitrine la crosse, le fléau et le glaive. Pharaon reposerait ainsi pour l'éternité, dans le tombeau qui avait été aménagé pour lui. L'histoire de sa vie avait été dessinée par les scribes et les historiens, sur les murs de sa tombe.

Au cours des soixante-dix jours que dura la période de deuil, la ville se peupla d'étrangers. Les souverains des pays voisins et leurs émissaires étaient venus offrir leurs condoléances et prêter serment d'allégeance au nouveau Pharaon. La cour en deuil était habillée de bleu. En dehors des murs du palais, la population se préparait à la grande fête du couronnement. Une effervescence joyeuse avait gagné les rues de Thèbes. L'émeute n'était plus qu'une page d'histoire.

Dans les jardins du palais où Horemheb et sa famille étaient maintenant installés, Ramsès se réfugiait de l'ardeur du soleil à l'ombre d'un saule pleureur. Face au lac, il attendait Tiyi en regardant les branches de l'arbre se balancer sur la surface de l'eau, au gré des vaguelettes qui venaient mourir sur la rive. L'enlèvement de Tiyi lui avait fait comprendre à quel point son amour pour elle était indéfectible. Son manque de vigilance à l'égard de sa bien-aimée avait fait naître en lui un sentiment de culpabilité. Il avait énormément souffert de ne pas l'avoir assez protégée. Et surtout, il s'en voulait de ne pas avoir prêté plus d'attention aux rumeurs qui étaient parvenues à ses oreilles. Mais comment aurait-il pu s'en douter ? Même Horemheb n'y avait cru…

Toui fit son apparition le premier. Il se jeta sur Ramsès et sauta sur ses épaules et son crâne en criant de joie. Ramsès se mit à rire et joua avec le ouistiti ; Tiyi ne devait plus être très loin. En effet, elle venait vers lui, entourée de cette aura de fête perpétuelle qui émanait d'elle et qui la caractérisait. Tout habillée de blanc, une fleur à la main, son corps délicat se mouvait avec grâce. Une brise légère jouait dans ses cheveux. Ramsès sentit son cœur exploser. C'était toujours un émerveillement pour lui lorsqu'il la regardait. Elle était si belle ! Il prit ses mains, les retourna et embrassa le creux de leur paume dans un élan de gratitude. Elle lui offrit son beau sourire. Main dans la main, ils se rendirent au débarcadère, où une barque les attendait. Ils s'installèrent sous le dais et les serviteurs larguèrent les amarres. À cet instant précis,

Nefnef déboula, annonçant l'arrivée imminente de Néfrou. Tiyi poussa un soupir d'exaspération. Mais Ramsès, qui s'était profondément attaché au jeune garçon, lui recommanda la patience. De toute façon, Tiyi ne pouvait bouder son frère trop longtemps. Elle accepta donc avec un certain enjouement que Néfrou se joigne à eux pour la promenade fluviale. Sûr de lui, il traînait Rana par la main. Il sauta à bord et enjoignit à la petite fille de le suivre.

Toutes voiles déployées, la barque prit lentement le large.

Horemheb, dont le nom signifiait « Horus est en fête », n'avait jamais si bien porté son nom. Il était plus majestueux qu'autrefois dans ses habits royaux. Il savait qu'il était respecté et honoré de son peuple. N'était-il pas un vaillant guerrier, prêt à défendre son pays jusqu'à la dernière goutte de son sang ?... Un règne de grandeur l'attendait. Bientôt, il conduirait ses troupes à la guerre et reconquerrait les territoires perdus aux mains de ses ennemis. Les Hittites mordraient la poussière et sauraient dorénavant se soumettre aux exigences de Pharaon.

Bien qu'il ne pût encore porter les insignes royaux, car il n'avait pas encore été couronné, « Horus est en fête » donnait audience. Mâchouillant discrètement un clou de girofle, il recevait avec majesté les éloges et les offrandes déposés à ses pieds.

Moutnedjémet, tout habillée de bleu, était assise à sa gauche. Elle le regardait avec fierté. Elle était resplendissante malgré sa tenue de deuil. Pourtant, une tristesse fugitive se glissa dans son regard. Elle eut une tendre pensée pour l'ancien Pharaon, dont les souffrances s'étaient enfin apaisées. Elle était arrivée à temps au chevet de son père pour lui adresser quelques paroles aimantes avant qu'il ne livre son âme à Osiris.

À la droite de Horemheb, elle aussi habillée de bleu, Tiyi était assise sur un tabouret. Elle observait ses parents, le sourire aux lèvres, et regardait défiler les délégations des pays étrangers, les courtisans et les prêtres d'Amon. De temps à autre, elle jetait un œil mécontent sur son jeune frère. Celui-ci, caché derrière les trônes, sautait et jouait dans son coin avec le nouveau bilboquet que ses parents lui avaient offert. Mais il n'était plus seul : la petite Rana ne le lâchait plus d'une semelle, ils étaient devenus inséparables. Partout où était Néfrou, on savait que Rana n'était pas loin, puis-qu'elle vivait désormais au palais. Kia, la mère de la petite fille, avait été désignée première suivante de la future reine, Moutnedjémet.

Tiyi avait accepté plus ou moins bien l'arrivée impromptue de Rana dans leur existence. Mais n'avait-elle pas un peu abandonné Néfrou depuis que Ramsès était dans sa vie ? Consciente que sa nou-velle vie au palais ne lui permettrait pas beaucoup de loisirs, et qu'elle se consa-crerait plutôt à Ramsès, elle pensa que les dieux avaient bien arrangé les choses en leur faisant connaître la famille de Rana. Son amour pour Néfrou était inaltérable. Et, quoi qu'il fasse, elle accepterait toujours de le contenter. C'est donc d'un œil mi-attendri, mi-envieux qu'elle contemplait les deux enfants qui jouaient ensemble.

À cet instant, les portes de la salle s'ouvrirent. Suivi de ses acolytes, Sethamount, entouré de deux gardes, s'avança vers Horemheb. Il ne portait pas de chaînes. Sa démarche était altière, mais elle ne réussissait pas à cacher sa pâleur. Sa barbe ombrait son visage, ce qui était rare chez les Égyptiens. Il se planta avec dignité devant Horemheb.

Sans trop s'en rendre compte, Horemheb mastiqua furieusement son clou de girofle. Il serra les poings alors que lui revenaient en mémoire les paroles de Pharaon, au moment de son intronisation : « Ne donne ta confiance à personne. Car, lorsque l'on arrive au sommet, les amis n'existent plus. La trahison viendra par celui à qui tu auras le plus donné. Méfie-toi de tous et de chacun, car c'est au moment où tu t'y attendras le moins que le couteau frappera. »

— Je ne connaissais pas ce côté de toi, Sethamount, lui dit le futur Pharaon. Tu m'as trompé pendant toutes ces années. Mon amitié pour toi est profondément blessée. Mais je n'ai plus de temps à perdre avec des discussions inutiles.

Tu seras puni d'avoir comploté contre moi en tentant d'enlever ma fille pour me contraindre à épouser tes intérêts politiques. Tout cela est maintenant pour moi du passé. Dans quelques jours, je serai Pharaon, et tu comprendras que je ne peux garder à mes côtés des personnes en qui je n'ai pas confiance. J'ai demandé à notre ami Akhnamon de te conduire dans une résidence forcée. Tu ne pourras plus sortir de ta demeure avant longtemps, très longtemps, le temps que je digère ta trahison. Et je peux t'assurer que ce ne sera pas pour demain. Akhnamon sera ton geôlier. Maintenant, disparais de ma vue avant que je ne te torde le cou, et estime-toi heureux que je ne te jette pas en prison.

Puis, dirigeant son regard hautain vers les autres, il ajouta :

— Vous aurez le même sort. Je ne veux pas commencer mon règne en infligeant des punitions graves. Vous allez vous aussi bénéficier de ma magnanimité. Pas de prison, mais vous ne pourrez quitter vos demeures tant que je n'aurai pas levé l'interdit. Qu'il soit fait selon mes ordres…

Lorsque les audiences prirent fin, « Horus est en fête » s'adressa à sa famille :

— Allons nous promener sur le fleuve, dit-il, d'un ton satisfait. Le temps est idéal. Autant en profiter avant que les affaires du pays ne m'accaparent trop…

Néfrou gloussa de bonheur. Il courut chercher Nefnef et Toui. Les petits ouistitis, qu'on ne laissait pas trop longtemps seuls, devaient eux aussi faire partie de la promenade. Ils montèrent tous ensemble dans la barque royale, Rana accrochée aux pas de Néfrou. Les esclaves amenèrent la passerelle et déployèrent les voiles. L'embarcation prit le large. Sur la berge qui s'éloignait lentement, les palmiers dattiers, les banians, les acacias et les sycomores rivalisaient de beauté. Au milieu de leur feuillage verdoyant, les nids des ibis faisaient des taches sombres. Les oiseaux blancs accompagnaient la barque en poussant des cris stridents. Au milieu des papyrus et des roseaux, qui ployaient au vent léger, des aigrettes se tenaient immobiles en équilibre sur une patte. Des hérons avançaient de leur pas saccadé, piquant l'eau de leur long bec.

Dans le sillon des vaguelettes, canards, canes et canetons défilaient à la queue leu leu en cancanant et en se disputant les miettes de pain que Néfrou et Rana leur lançaient.

Horemheb contemplait les paysages éternels de son Égypte bien-aimée. Son regard s'attardait aussi sur sa famille, qu'il observait avec orgueil. Une joie fulgurante le traversa. Il prit la main de son épouse et lui sourit. Ils étaient tous réunis sous le baldaquin. Nefnef sur son épaule, Néfrou était assis par terre et jouait aux osselets avec Rana. Tiyi décida de s'asseoir avec eux et de partager leur jeu. Toui grimpa sur ses genoux. Appuyé au bastingage, Ramsès ne quittait pas Tiyi des yeux. Mounedjémet se prit à sourire devant ce tableau serein. Elle serra plus fort la main de son époux. Ils échangèrent un regard tendre, la vie promettait…

Épilogue

Le pharaon Horemheb régna pendant vingt-huit ans. Au cours de son règne, l'Égypte connut une période de fastes et de grandeurs. Il fut l'auteur d'une importante réforme juridique, supprimant les droits abusifs et rétablissant une justice équilibrée.

On considère que Horemheb est le fondateur de la XIXᵉ dynastie de l'histoire de l'Égypte, dans laquelle se sont illustrés des pharaons de l'envergure de Séti Iᵉʳ et de Ramsès II.

Il fit aménager sa demeure d'éternité dans la Vallée des Rois.

Moutnedjémet régna à ses côtés pendant de longues années. Elle repose dans sa demeure d'éternité, située dans la Vallée des Reines.

L'histoire ne nous dit pas ce que devinrent Tiyi et Néfrou*. Mais il est vrai que Ramsès succéda à Horemheb sur le trône d'Égypte, sous l'appellation de Ramsès Iᵉʳ.

* À l'exception de Tiyi, de Néfrou et des gens du complot, tous les personnages cités sont historiques.

Notes

1. **Râ ou Rê** : grand dieu solaire de l'ancienne Égypte.

2. **Khôl** : fard noirâtre provenant de la carbonisation de substances grasses.

3. **Papyrus** : plante des bords du Nil que les anciens Égyptiens utilisaient comme support de l'écriture.

4. **Litière** : lit couvert, porté par des hommes à l'aide de deux brancards.

5. **Horus** : *Myth. égypt.* Dieu solaire de l'ancienne Égypte, symbolisé par un faucon ou un soleil ailé. Fils d'Isis et d'Osiris. On surnommait le Pharaon de son nom : Horus.

6. **Osiris** : *Myth. égypt.* Dieu protecteur des morts. Frère et époux d'Isis et père d'Horus.

7. **Isis** : *Myth. égypt.* Déesse, sœur et femme d'Osiris et mère d'Horus ; type de l'épouse et de la mère idéale.

8. **Delta** : zone d'accumulation de petites rivières, de forme grossièrement triangulaire, faite par un fleuve à son arrivée dans une mer.

9. **Amon** : *Myth. égypt.* Dieu égyptien de Thèbes.

10. **Palanquin** : chaise à porteurs légère, parfois placée sur le dos des chameaux, des éléphants.

11. **Chaise porteuse** : palanquin.

12. **Pesée du cœur** : *Myth. égyp.* Lorsque le mort arrivait devant Maât, la déesse de la Justice, elle posait le cœur d'un côté de la balance et de l'autre elle posait une plume. Si le cœur était aussi léger que la plume, le mort pouvait aller au paradis.

13. **Natron** : carbonate de sodium (le natron servait aux Égyptiens à conserver les momies).

Table des matières

PROLOGUE   9

1 LA DEMEURE DE HOREMHEB   11
2 LE MARCHE   19
3 HOREMHEB   30
4 LE DÉSERT   39
5 RAMSÈS   51
6 LA CRUE DU NIL   61
7 LES PRÉPARATIFS DE LA FÊTE   76
8 LA FÊTE DU NIL   89
9 LA PRÉSENTATION AU TEMPLE 102
10 ÉTAT DE PANIQUE 114
12 PETIT HÉROS ! 130
13 « HORUS EST EN FÊTE » 144

ÉPILOGUE 154
NOTES 155

Les titres de la collection Atout

1. *L'Or de la felouque***
   Yves Thériault

2. *Les Initiés de la Pointe-aux-Cageux***
   Paul de Grosbois

3. *Ookpik***
   Louise-Michelle Sauriol

4. *Le Secret de La Bouline**
   Marie-Andrée Dufresne

5. *Alcali***
   Jo Bannatyne-Cugnet

6. *Adieu, bandits !**
   Suzanne Sterzi

7. *Une photo dans la valise**
   Josée Ouimet

8. *Un taxi pour Taxco***
   Claire Saint-Onge

9. *Le Chatouille-cœur**
   Claudie Stanké

10. *L'Exil de Thourème***
    Jean-Michel Lienhardt

11. *Bon anniversaire, Ben !**
    Jean Little

12. *Lygaya**
    Andrée-Paule Mignot

13. *Les Parallèles célestes***
    Denis Côté

14. *Le Moulin de La Malemort**
    Marie-Andrée Dufresne

15. *Lygaya à Québec**
    Andrée-Paule Mignot

16. *Le Tunnel***
    Claire Daignault

17. *L'Assassin impossible**
    Laurent Chabin

18. *Secrets de guerre***
    Jean-Michel Lienhardt

19. *Que le diable l'emporte !***
    Contes réunis par Charlotte Guérette

20. *Piège à conviction***
    Laurent Chabin

21. *La Ligne de trappe***
    Michel Noël

22. *Le Moussaillon de la Grande-Hermine**
    Josée Ouimet

23/23. *Joyeux Noël, Anna**
    Jean Little

24. *Sang d'encre***
    Laurent Chabin

25/25. *Fausse identité***
    Norah McClintock

26. *Bonne Année, Grand Nez**
    Karmen Prud'homme

27/28. *Journal d'un bon à rien***
    Michel Noël

29. *Zone d'ombre***
    Laurent Chabin

30. *Alexis d'Haïti***
    Marie-Célie Agnant

31. *Jordan apprenti chevalier** Maryse Rouy

32. *L'Orpheline de la maison Chevalier** Josée Ouimet

33. *La Bûche de Noël*** Contes réunis par Charlotte Guérette

34/35. *Cadavre au sous-sol*** Norah McClintock

36. *Criquette est pris*** Les Contes du Grand-Père Sept-Heures Marius Barbeau

37. *L'Oiseau d'Eurémus*** Les Contes du Grand-Père Sept-Heures Marius Barbeau

38. *Morvette et Poisson d'or*** Grand-Père Sept-Heures Marius Barbeau

39. *Le Cœur sur la braise*** Michel Noël

40. *Série grise*** Laurent Chabin

41. *Nous reviendrons en Acadie !** Andrée-Paule Mignot

42. *La Revanche de Jordan** Maryse Rouy

43. *Le Secret de Marie-Victoire** Josée Ouimet

44. *Partie double*** Laurent Chabin

45/46. *Crime à Haverstock*** Norah McClintock

47/48. *Alexis, fils de Raphaël*** Marie-Célie Agnant

49. *La Treizième Carte** Karmen Prud'homme

50. *15, rue des Embuscades** Claudie Stanké et Daniel M. Vincent

51. *Tiyi, princesse d'Égypte*** Magda Tadros

52. *La Valise du mort*** Laurent Chabin

53. *L'Enquête de Nesbitt** Jacinthe Gaulin

54. *Le Carrousel pourpre*** Frédérick Durand

55/56. *Hiver indien*** Michel Noël

* Lecture facile   ** Lecture intermédiaire